Fondation
de l'Hermitage
Donation Famille Bugnion

MÉCÈNES ET AMIS

M. Maurice OULEVAY Morges

M. Marc PANCHAUD Morrens

M. Pierre RAMELET Lausanne

M. et Mme Robin et Claire REEVES-BUGNION Cornwall - Angleterre

Mme May ROSSELET Lausanne

M. et Mme Georges et Thérèse ROSSET Epalinges

M. Hans SPILLMANN Commugny

Mme Renée TAVEL Genève

M. et Mme Pierre et Alice VERREY Grandson

Mme Gitta WALLERSTEIN Pully

Mme Olimpia WEILLER Genève

WINTERTHUR-ASSURANCES - DIRECTION REGIONALE DE LAUSANNE,

M. Vincent Mussler Lausanne

M. et Mme Pierre ZIMMERMANN-BLANC Lausanne

AMIS DONATEURS

M. Jean ABT Le Mont-sur-Lausanne

M. Gaston ALBISSER Saint-Sulpice

M. et Mme Albert et Claudie AMON Lausanne

Mme Ingrid AMSLER Pully

M. Federico D. ANDREANI Pailly

ATELIER GRAND SA, ED. OUVERTURE,

M. Jean-Samuel Grand Le Mont-sur-Lausanne

M. et Mme Luc et Ariane BAEHNI Romainmôtier

M. Georges BÉGUIN Lausanne

Mme Eléonore BERTHET RIGOLI Lausanne

Mme Christiane BESUCHET Jussy

Mme Wilhelmine BIGAR Lausanne

M. Gregor BINDLER Chabrey

Mme Jacqueline BLANDIN Lausanne

M. et Mme Georges et Irma BLUM Pully

M. et Mme Marcel et Lucia BORALEY Vevey

M. et Mme Jean BOSSERT Lutry

Mme Denise BOYE-DUNKEL Collex

M. et Mme Claude et Françoise BRIDEL Prilly

Mme Anne-Lise BRUNNER-MOSER Epalinges

M. et Mme François et Janie BUGNION Chambésy

M. Yves BURNAND Lausanne

M. Bernard BURRI Lausanne

M. et Mme Alessandro et Laura CAPONI Lausanne

CERCLE LITTÉRAIRE Lausanne

M. Jean-Charles CEROTTINI Saint-Sulpice

M. et Mme François et Danièle CHARLAIX Anières

Mme Lucienne CHARLES Epalinges

M. Eric CHAUVET Vésenaz-Genève

M. et Mme Georges-André CHEVALLAZ Epalinges

M. et Mme Daniel et France CHRISTOFF Lausanne

M. Didier COIGNY Lausanne

M. Robert COLLIN Les Rousses – France

Mme Suzanne CORNAZ Lausanne

M. François COTTIER La Tour-de-Peilz

M. Georges CUENET Lutry

M. Gérald d'ANDIRAN Puplinge

M. et Mme Yves d'ARCIS Pomy

Mme Hélène de GEOFFRE Lausanne

M. et Mme Emmanuel de LONGEVIALLE Boulogne Billancourt - France

Mme Michèle de PREUX Jouxtens-Mézery

M. Thierry de PREUX Lutry

M. et Mme Angelo DE QUATTRO La Tour-de-Peilz

M. Yvan de RHAM Saint-Sulpice

M. Henri DÉCOSTERD Lausanne

M. et Mme Maurice DELLER Mollie-Margot

M. Vincent DENIS Vaux-sur-Morges

DENTAN Frères SA Lausanne

M. et Mme Grégoire et Monique DINICHERT Genève

M. Philippe DOUCHET Aubonne

Mme Emmy DREYFUS Vevey

M. Dominique DUCRET Genève

Mme Catherine DUGNIOLLE Chêne-Bougery

M. et Mme Charles DUPONT Savuit-sur-Lutry

M. Georges A. EMBIRICOS Jouxtens-Mézery

M. François ERDEMLI Couvet

Mme Marie-France FAIVRET CAMPICHE Lausanne

M. Raymond FAUQUEX Pully

M. Daniel FAVRE Epalinges

M. et Mme Gilles et Françoise FAVRE Lausanne

Mme Rosine FELLER Lausanne

Mme Marguerite FRAISSINET Saint-Sulpice

M. et Mme Philippe et Marlise GABERELL Lausanne

M. et Mme Eric et Anne GABUS Clarens

M. et Mme John-David GEISER Lausanne

M. Théodore GEISSMANN Pully

Mme Eva GERBER-GLUR Berne

Mme Nicole GINSIG-BUGNION Therwil

M. Philippe GIORGIS Nyon

M. Jean-Claude GISLING Echandens

M. Roger GIVEL Lonay

M. Robert Max GOLAZ Pully

Mme Bluette GONSETH Pully

M. et Mme Jean-Jacques GONVERS Lausanne

M. Daniel GRIVEL Perroy

Mme Renée HAENNY-JATON Lausanne

M. Jean Ernest HALDI Schwarzenburg

M. et Mme Michel HENCHOZ Belmont

Mme Anny HENTSCH Collonge-Bellerive

M. et Mme Jean-René HOFSTETTER Pully

M. et Mme Jean-Jacques HOURIET Genève

IDEAC SA. M. Jean-Patrick Bourcart Ecublens

M. et Mme Jean ILG Genève

Mme Jacqueline IMFELD Lausanne

Mme Elisabeth IRISARRI Genève

M. et Mme Bernard et Denise ISCHY Lutry

M. Marc-Olivier JACCARD Morges

Mme Marie-Christine JACKSON Lausanne

M. Philippe JACQUAT Lausanne

M. Stéphane JAQUET Paudex

M. Pierre JOLIAT Riaz

M. et Mme Jean-François et Marylise JOURNOT Bussigny

M. Jean-Paul KAESLIN Pully

M. et Mme Peter et Erica KAISER Saint-Légier

M. et Mme Henning et Karin KAUSCH Cully

M. et Mme Jean-Pierre et Anne KELLER Chevilly

M. Sami KHAWAM Chavannes-Renens

M. Eberhard W. KORNFELD, Galerie Kornfeld Berne

M. et Mme Pierre et Loraine KRAFFT Lutry

Mme Suzon KREIS Pully

M. Jürg KROMPHOLZ Saint-Sulpice

M. Charles-Edouard LAMBELET Glion

Mme Philippe LANGER Lausanne

M. Henri LAUFER, Etude de Notaires Rochat & Laufer Lausanne

M. et Mme Bernard et Lise LEBEL Pully

M. Bernard LEGER Plan-les-Ouates

M. Hans Jürg LEISINGER Pully

Mme Valentine LEU, Assurance Lloyd's de Londres Lausanne

M. Jean-François LEUBA Chexbres

Mme May LEVY Lausanne

M. Gérald LIENGME Chexbres

M. Philippe LOVY Lausanne

M. Pierre LUGEON, Consulat du Brésil Lausanne

M. et Mme Franck et Sophie LUZUY Genève

M. Pierre MAGNENAT Lausanne

M. et Mme Claude et Geneviève MAGNIN-MORIZOT Renens

M. Alain MAILLARD Lausanne

M. Raymond MAILLARD Lausanne

M. Michel MAILLEFER La Conversion

M. Bernard MANGE La Conversion

M. Pierre-Daniel MARGOT Lausanne

Mme Paul-René MARTIN Lausanne

M. et Mme Thierry et Carole MARTIN Perroy

M. et Mme Xavier et Anne MARTIN Pont (Veveyse)

M. et Mme Paolo et Stefania MARTINENGO Chevry - France

M. et Mme Pierre et Brigitte MATTHEY Vésenaz

M. Christian MENETREY Le Mont-sur-Lausanne

M. Daniel MEYER Pully

M. et Mme François et Hélène MEYER Montreux

M. Rudolf MEYER Lausanne

M. Jean-Luc MEYSTRE Corseaux

M. Pierre MILLIET Pully

M. et Mme Gérard et Dominique MOSER-MASSY Pully

M. Alain MOTTAZ Lausanne

MÖVENPICK HOTEL, M. François Bolle Lausanne

M. et Mme Georges et Françoise MULLER Lausanne

M. et Mme Daniel C. et Dora NADELHOFER Tolochenaz

M. Roland NIKLAUS Oron

M. et Mme Pedro et Marianne NOETZLI Lausanne

M. et Mme Philippe NORDMANN Genève

M. et Mme Jean-Daniel et Nicole PASCHOUD Lutry

M. Michel PELICHET Lausanne

M. et Mme Claude et Anne PERRET Lausanne

Mme Maryse PERRET Lausanne

M. et Mme Vincent et Michelle PERRET Le Mont-sur-Lausanne

Mme Anne PERRIER, Pharmacie de la Batelière Lausanne

Mme Catherine PIGUET Pully

M. Jean-Marie PILET Lausanne

Mme Véronique PIRENNE-NANCHEN Collonge-Bellerive

M. Bruno PITTELOUD Lausanne

Mme Régine POLTIER-de WOLFF Lausanne

M. Razvan POPESCU Lausanne

M. Amir RASTY Cartigny

RETRAITES POPULAIRES, Mme Diane Correa-Hall Lausanne

M. et Mme Michel et Nicole REY-ZEN RUFFINEN Pully

M. et Mme Antoine et Sophie REYMOND Prilly

M. Claude REYMOND Prilly

M. et Mme Dominique et Françoise REYMOND Prilly

M. Jean-Marc REYMOND Lausanne

MM. André ROBINET et Daniel HENRY Fontaine les Dijon - France

M. Antoine ROCHAT, Etude de Notaires Rochat & Laufer Lausanne

M. Jean-Claude ROD Echandens

M. et Mme Roger et Marianne ROGNON Clarens

Mme Donatella ROSA-DOUDIN Lincoln - USA

Mme Françoise ROSSI Lausanne

M. Michel ROSSINELLI Lausanne

M. Jean-Jacques RUDER Prilly

M. et Mme Michel et Françoise SANDOZ Crans-près-Céligny

Mme Suzette SANDOZ Pully

M. Gerassimos SARLOS, EPFL-LASEN-Génie Civil Lausanne

M. et Mme Yves SAUDAN Le Mont-sur-Lausanne

M. et Mme Charles SCHAEFER Pully

M. et Mme Pierre-Michel SCHMIDT Epalinges

M. Patrick SEGAL Genève

M. Christian SIEBER, Sieber C. architecture Château-d'Oex

M. Philip SIEGENTHALER Pully

M. Roland SPYCHER Lutry

M. Frédéric STAEHLI La Conversion

Mme Jaqueline STOFFEL Dully

M. et Mme François STORNO Genève

M. Philippe TANNER Orbe

M. et Mme Charles et Jacqueline TAVEL Petit-Lancy

M. et Mme Paul et Sybille TERRIER Yverdon

M. Roger THOMAS Clarens

M. Nick THORNTON Lausanne

Mme Christine TRAEGER Estavayer-le-Lac

M. Jean-Luc TSCHUMY Lausanne

M. Pierre UHLER Neuchâtel

M. André VALLOTTON Chexbres

M. André VEILLON Lausanne

M. et Mme Pierre et Adriana VERSTRAETE-DAN Pully

M. Etienne VODOZ Pully

Mme Victoria von SCHULTHESS PRESTON Baech

Mme Marlyse VOUMARD Bussigny

M. Claude-Alain VUILLERAT Lausanne

Mme Claude VUILLEUMIER Lausanne

WINTERTHUR-ASSURANCES, M. Philippe Lang Lausanne

Mme Line WUHRMANN Saint-Légier

Mme Maria ZERILLI-SONCINI Lausanne

AMIS SYMPATHISANTS

M. Heinz ALTENHOFER Cugy

Mme Trudelies AMSLER LEONHARDT Saint-Sulpice

M. Philippe ANDRE, Histoire & Voyages Lausanne

Mme Josiane ARGI Pully

Mme Monique ASSAL Lausanne

Mme Marie-Claude AUGER Préverenges

Mme Christophe BABAIANTZ Le Mont-sur-Lausanne

M. Armando BALMELLI Lussy-sur-Morges

M. Francis BALLMER Saint-Sulpice

Mme Odette BALLMER Saint-Sulpice

M. Hubert BARDE Le Mont-sur-Lausanne

Mme Carmen BARRAS Lutry

Mme Albena BASSET Genève

M. Stephen BATTALIA Lutry

Mme Cécile BAUMGARTNER Lausanne

M. Jacques BELGRAND Belmont

M. Jean BÉNÉDICT Paudex

Mme Françoise BERGIER Lausanne

M. Hugo BEYERMAN Mont-la-Ville

M. Gianni BIAGGI de BLASYS Lausanne

Mme Angela BISHOP Lausanne

M. Jean-Claude BLANC Lausanne

M. Bernard BLATTER Montreux

BOLLIGER FLEURS, M. Jean Erni Lausanne

M. Alfred BLOESCH Lausanne

Mme Alexandra BOLOMEY Prilly

M. et Mme René et Marguerite BOPP-BUSER Belmont

M. Hans BOSSART Epalinges

Mme Franciska BOURL'HONNE Lausanne

M. Daniel BOVET Lausanne

Mme Lise BRANDT Lonay

M. Willy BRAUCHLI Pully

Mme Isminy BURCKHARDT Pully

M. Gaston BURNAND Collonge-Bellerive

Mme Karin BUTSCHI Grand Lancy

Mme Geneviève BUTTEX Lausanne

Mme Suzanne CACHELIN Lausanne

Mme Claire CAMPERIO Lausanne

Mme Francine CARDIS de RHAM Pully

M. et Mme Ernesto et Xenia CARP-HOFMANN Genève

Mme Christiane CEROTTINI Lausanne

Mme Françoise CHAMOT PEREZ Penthalaz

Mme Françoise CHAMPOUD Lausanne

Mme Ysé CHAPPUIS-ROSSELET Pully

M. Germain CHAPUIS Lausanne

M. et Mme François CHAVANNES Vevey

M. Bernard CHENEVIERE Cheseaux

M. et Mme Daniel et Yolande CHEVALLEY Riehen

Mme Anne CHRISTELER-DELACRETAZ Lausanne

M. François CLEMENT Lausanne

Mme Anne-Marie CLERC Lausanne

M. Raymond CLOOS, Zürich Assurances Lausanne

Mlle Françoise COLLAUD Lausanne

Mme Marie-Rose COMMENT Courgenay

M. François COMTE, Comte Antiquités SA Lausanne

Mme Florence CONNE-FAYET Gland

Mme Piero COPPOLA Lausanne

M. François CORNAMUSAZ, Gérance de fortune Lausanne

M. Alfred CORNAZ Aubonne

Mme Catherine CORNAZ Lutry

Mme Robert COSANDIER Genève

Mme Simone COSANDIER Genève

M. et Mme François et Anne-Marie COUCHEPIN Lausanne

M. et Mme Claude et Arlette COURVOISIER Pully

M. Dominique CREUX La Conversion

M. Richard CUENDET Lausanne

Mme Madeleine CURCHOD Lausanne

Mme Pierrette CURDY Lausanne

M. Charles-Guibert d'UDEKEM de GUERTECHIN Lausanne

Mme Florence DE CANDIA Pully

Comtesse Zara de la HAYE SAINT HILAIRE Genève

Mme Floriane de MARVAL Lausanne

M. Reto DE MERCURIO, CDM Hotels et Restaurants SA Lausanne

M. Jean-Léonard de MEURON Genève

Mme Catherine DE PICCIOTTO Anières

M. François de SENARCLENS Genève

M. Alexis de SPENGLER Territet

Mme Chantal de VRIES Lausanne

M. Claude-François DELAPIERRE Crissier

M. Raymond DELAPORTE Lausanne

M. Pierre DESBAILLETS Pully

M. Philippe DEVOLZ St-Prex

Mme Monique DIETHELM Pully

M. Daniel DISERENS Pully

M. et Mme Michel et Alla DOLIVO Mollie-Margot

Mme Clermonde DOMINICE Genève

M. Michel DUC Moudon

M. Asher EDELMAN Pully

M. Serge EHRENHOLD Cologny

M. Pierre-Emmanuel ESSEIVA Villars-sur-Glâne

Mme Marianne FABAREZ-VOGT Lausanne

M. Marc FAESSLER Genève

M. William FAGUE Pully

Mme Marie-Louise FAILLOUBAZ Lausanne

Mme Rosemarie FANKHAUSER Lausanne

M. et Mme Jean-Pierre et Claude FAVRE La Croix-sur-Lutry

M. Willy-René FELGENHAUER Neuchâtel

M. Herbert FLEISCH Pully

Mme Maria Pia FLEISCH Pully

Mme Fany FOX Villeneuve

M. Roger FRANCILLON Zürich

M. et Mme Ivo et Sarah FREI Lausanne

GALERIE CHARLOTTE MOSER, art contemporain Genève

M. Jean-Claude GASSER Jouxtens-Mézery

M. Joseph GEINOZ Pully

M. et Mme Charles-Henry et Colette GENEUX Epalinges

Mme Marianne GENTON Lausanne

M. Noël GENTON Lausanne

Mme Marie-Lise GERHARD Lausanne

Mme Wilhelmina GERRITSEN Lausanne

M. Jean-Charles GERSTER Lausanne

M. Pierre GISIGER La Conversion

M. et Mme Bernard et Marie-Louise GLASSON Nyon

M. Emanuel GLUTZ Lutry

M. Michel GOLAY Jouxtens-Mézery

M. François GOLAY-SCHMID Gollion

M. Pierre GRABER-ALIVON Lausanne

Mme Renée GRABER-ALIVON Lausanne

M. Fredy GRAF Anières

M. Jean-Michel GRAF Pully

M. Jean-Claude GRANGIER Epalinges

M. Alain GRUNDLEHNER Buchillon

M. et Mme Maurice et Jacqueline GUIGOZ Lausanne

Mme Blanche GUISAN Lausanne

Mme Hélène GUISAN Lausanne

Mme Elisabeth GURLEY Romanens

Mme Floriane HAUCK-LACOUR Bernex

M. Jean HEIM Lausanne

M. Michel HENRY Pully

M. Kurt HOFMANN Lausanne

INSTITUT POUR LA CREATION D'ENTREPRISE,

Mme Marie-Claire FAGIOLI Lausanne

Mme Anne-Lise ICHTERS Lausanne

M. Hugo ITALIANO Monthey

M. Bertrand JACCARD Saint-Prex

Mme Odile JAEGER Lausanne

M. Daniel JAQUIER Bussigny

Mme Josée JOSEPH Lausanne

M. Philippe JOSEPH Lausanne

M. Sébastien JOTTERAND Aubonne

Mme Pascale JUILLERAT Ecublens

M. Etienne JUNOD Bernex

Mme Yvette KAISER Lausanne

M. Wilfried KURZ-SCHANIEL La Conversion

Mme Catherine LABOUCHERE Gland

M. et Mme Pierre et Carmela LAGONICO Cully

M. François LANDGRAF Saint-Sulpice

Mme Françoise LANDRY Lausanne

M. Claude LANTHEMANN La Tour-de-Peilz

Mme Ursula LARGIADER Berne

M. Marc-Etienne LAVANCHY Orzens

Mme Astrid LEDIN Conches

M. Gilles LEUBA La Tour-de-Peilz

Mme Marie-France LEUENBERGER Le Mont-sur-Lausanne

Mme Estella LINIGER-KOSIRNIK La Chaux

Mme Marianne LOCCA La Conversion

Mme Gabrielle LODYGENSKY Genève

M. Rodolphe LUSCHER, Luscher Architectes SA Lausanne

Mme Jane-Marie MAGNENAT Marly

Mme Madeleine MARCEL Lutry

Mme Ingeborg MARKUS Pully

Mme Madeleine MARTIN-LE COULTRE Lausanne

Mme Sylvie MATTHES Onex

M. et Mme Ernest et Madeleine MATTHEY Pully

M. Jacques MAY Lausanne

Mme Helga MAYOR Cheseaux

M. Urs MEIER Berne

M. Alberto MEIER-CAMENISCH Lausanne

Mme Anne MERCIER Lausanne

Mme Caline MEYER Lausanne

Mme Elda MEYER Lausanne

Mme Jacqueline MEYER-VILLARD Lausanne

Mme Claudine MEYLAN Chardonne

M. Maurice MEYLAN Lausanne

Mme Françoise MICHAUD Lausanne

Mme Eva MILHAUD Blonay

M. et Mme Jean-Pierre et Roxanne MINCOU Saint-Sulpice

Mme Christine MINETTA Cully

M. Stephan MORGENTHALER Savigny

Mme Gaby MORIER-GENOUD Pully

Mme Ellen MOURAVIEFF-APOSTOL Genève

M. et Mme Roland MUGGLI Ecublens

M. Nicolas MURISIER Epalinges

M. Andréas-Paul NAEF Pully

M. Jean-Marc NARBEL Pully

M. et Mme Marco NAVA Morges

M. Marcel NAVILLE Coppet

M. et Mme Georges et Anita NEF Herisau

M. Jean-Louis NEYROUD Lausanne

M. et Mme Louis NICOD Lausanne

Mme Lise PACHE Lausanne

M. Michel-André PANCHAUD La Tour-de-Peilz

Mme Denise PARVEX Lausanne

Mme Marise PASCHOUD Lausanne

M. Jacques PATERNOT Lausanne

M. Jean-Philippe PAUROUX Chexbres

M. et Mme Louis PELLAUX Lausanne

M. Jean-David PELOT Lausanne

Mme Maria-Carmen PERLINGEIRO Vessy

M. Jean PERRET Lausanne

Mme Marisa PERRET Genève

Mme Betty PERRIN Lausanne

M. et Mme Eric et Jacqueline PETER Aubonne

Mme Christine PETITPIERRE Pully

Mme Inge PFEIFFER Pully

M. Robert PIAGET Lausanne

M. et Mme Bertrand et Michèle PICCARD Lausanne

M. Cyrille PIGUET Lausanne

M. et Mme Jean-Claude PIGUET Yverdon

M. et Mme Jean-François et Suzanne PIGUET Cully

Mme Christine PILET Vauderens

Mme Janine PITTON, Pharmacie de Cossonay Cossonay-Ville

Mme Madeleine POINTET Lutry

M. Félix PORCELLANA Lausanne

M. Mathieu POTIN Grandvaux

Mme Marianne POUDRET Pully

Mme Adèle PUSZTASZERI Glion

Mme Nicole RAMELET Pully

M. et Mme Georges et Catherine RAPPOPORT Lausanne

Mme Marianne J. REYMOND Pully

M. Alain RIVIER Corseaux

M. et Mme Jean-Louis et Nicole RIVIER Jouxtens-Mézery

Mme Lucienne RIVIER-CHAUVET Lausanne

M. Jean-Louis ROCHAIX Belmont

Mme Anne-Marie ROSSEL Pully

Mme Marianne ROSSELET Lausanne

M. Henry ROSSET Jouxtens-Mézery

M. et Mme Géo et Ruth ROSSI-CHRISTEN Lausanne

Mme Gabrielle ROSSIER La Tour-de-Peilz

Mme Denise ROTEN Lausanne

Mme Christine ROTH Pully

Mme Luce ROTH Genève

Mme Michèle ROUBATY Renens

M. Louis RUEDIN Muraz-sur-Sierre

M. Patrick RUEFF Pully

M. François RUMPF Céligny

Mme Jacqueline SADEGHI Lausanne

Mme Anne-Marie SCHAFER Vevey

Mme Geertjen H.J. SCHEFFER Lausanne

Mme Christiane SCHNYDER Lausanne

Mme Nell SEELHOFER Cully

Mme Heidi SIGMOND La Tour-de-Peilz

M. Georges SOLESIO, Institut Domi Lausanne

Mme Andrée SOULIER Genève

Mme Harriet STEVER Nyon

Mme Anne-Noëlle STOECKLIN Lausanne

Mme Madeleine STREIT Lausanne

Mme Michèle SYLVESTRE Ferney-Voltaire - France

M. Maurice TAPPY Epalinges

Mme Rosemarie TASTAVI-WELTI Epalinges

M. Guy-François TAVERNEY Lausanne

M. et Mme Gilles et Ione TEZE Bonnieux - France

M. Gaston THALMANN Zurich

M. Antonio TORO Y TORO Lausanne

Mme Caroline TOSETTI-FOREL Lutry

Mme Chantal TOULOUSE La Conversion

Mme Rolf TREMBLEY Vich

UNIVERSITE POPULAIRE DE LAUSANNE,

M. Fabien Loi Zedda Lausanne

UROLOGIA, M. Michel Bonard Lausanne

M. François VALLOTTON Bôle

M. Alfredo VANNOTTI Walkringen

M. François VAUDOU Cully

M. Edgar VAUTRAVERS Lausanne

M. Claude VERDAN Cully

M. Rinantonio VIANI Corseaux

Mme Cécile VITTOZ-PERUSSET Pully

Mme Annette VOGEL Lausanne

M. et Mme Pierre-Alain VUAGNIAUX Onex

M. et Mme Pierre-Yves et Isabelle VUAGNIAUX-WILLI Genève

Mme Erika VUILLEUMIER Lausanne

Mme Christine WEBB Lausanne

Mme Katia WEBER-CHAPPUIS Lausanne

M. Heini WELLMANN Pully

M. Guy WERNER Genève

M. Volker-K. WILLI, Willsearch Partners SA Genève

Mme Barbara WILSON Grandvaux

M. Daniel WURLOD Pully

Mme Sibylle WYSS Lausanne

M. Bernard ZAHND Lausanne

M. et Mme Pierre et Eva ZAHND Le Mont-sur-Lausanne

M. Pierre-Yves ZAMBELLI Morges

M. Jean ZEISSIG Lausanne

Mme Margarita ZENGER Préverenges

Mme Rosemarie ZÜRCHER Cugy

et cent deux donateurs anonymes

LAUSANNE, avril 2002

L'IMPRESSIONNISME AMÉRICAIN

L'IMPRESSIONNISME AMÉRICAIN

1880 - 1915

William Hauptman

**avec une contribution
de Nicolai Cikovsky, Jr.**

Fondation de l'Hermitage · Lausanne · 2002
Donation Famille Bugnion

La Bibliothèque des Arts

L'exposition et son catalogue ont bénéficié du généreux soutien
de l'Ambassade des Etats-Unis en Suisse et de

Couverture: John Singer Sargent, *A Lady and a Child Asleep in a Punt under a Willow*
(Une femme et un enfant endormis dans une barque sous un saule), 1887, huile sur toile (détail),
55,9 x 68,6 cm, Lisbonne, Calouste Gulbenkian Museum (cat. n° 45)
Au dos: Childe Hassam, *Bretonnes réparant les filets (Le Pouldu)*, 1897, huile sur toile, 46 x 61,5 cm,
collection privée (cat. n° 24)

La Fondation de l'Hermitage remercie chaleureusement toutes celles et ceux qui ont apporté leur concours à la réalisation de l'exposition et du catalogue *L'impressionnisme américain 1880-1915*:

Amiens	Musée de Picardie, Matthieu Pinette
Baltimore	The Baltimore Museum of Art, Sona Johnston, Cheryl Snay
Berne	Mercer Reynolds, ambassadeur des Etats-Unis en Suisse, Bruce Armstrong, attaché culturel
Blérancourt	Musée National de la Coopération Franco-Américaine, Anne Dopffer
Brest	Musée des Beaux-Arts, René Le Bihan et Françoise Daniel
Brooklyn	Brooklyn Museum of Art, Arnold L. Lehman
Chicago	Terra Museum of American Art, Cathy Ricciardelli, Stephanie Meyers
Cleveland	The Cleveland Museum of Art, Katharine Lee Reid
Conches (Genève)	Janet Briner
Crans-près-Céligny	Jacqueline et Jean-Robert Bugnion
Dallas	Dallas Museum of Art, Eleanor Harvey
Genève	Michel Buri; Rainer Michael Mason; Ruth et Bruce Rappaport
Giverny	Musée d'art américain, Sophie Lévy, Katherine Bourguignon
Lausanne	François Meyer
Lisbonne	Museu Calouste Gulbenkian, João Castel-Branco Pereira, Maria Luísa Sampaio
Londres	Jenny Housego; Richard Ormond
Lugano	Fondazione Thyssen-Bornemisza, Christine Bader
Madrid	Carmen Thyssen-Bornemisza Collection, Baronne Thyssen-Bornemisza; Museo Thyssen-Bornemisza, Tomàs Llorens, Paloma Alarco
New York	Bard College, Derek Ostergard; Berry-Hill Galleries, Inc., Fred Hill; The Metropolitan Museum of Art, H. Barbara Weinberg; National Academy of Design, Annette Blaugrund, David B. Dearinger; Graham Williford

Paris	Annie Cohen-Solal; Musée d'Orsay, Dominique Viéville, Serge Lemoine, Caroline Mathieu, Anne Distel; Musée de la Musique/Cité de la Musique, Frédéric Dassas; Musée national d'art moderne/Centre de création industrielle, Centre Georges Pompidou, Alfred Pacquement, Brigitte Léal; Musée Rodin, Jacques Vilain, Claudie Judrin; Petit Palais, Musée des Beaux-Arts de la Ville de Paris, Gilles Chazal; Musée du Louvre, Olivier Meslay; Réunion des musées nationaux, Alain Madeleine-Perdrillat
Puteaux	Fonds National d'Art Contemporain, Claude Allemand-Cosneau
Rennes	Musée des Beaux-Arts, Francis Ribemont, Valérie Lagier
Rouen	Musée des Beaux-Arts, Laurent Salomé
Washington	The Corcoran Museum of Art, Jacquelyn Serwer, Sarah Cash; National Gallery of Art, Earl A. Powell III, Alan Shestack, Nicolai Cikovsky, Jr., Franklin Kelly; The Phillips Collection, Jay Gates, Joseph Holbach
Zurich	Clarisse Gagnebin; Marina G. Thouin

ainsi que toutes les personnes qui ont préféré garder l'anonymat.

SOMMAIRE

Depuis sa création en 1984, la Fondation de l'Hermitage s'est intéressée à de nombreuses reprises à l'impressionnisme, cette extraordinaire révolution picturale qui bouleversa le monde des arts à la fin du XIXe siècle. Hommage à la perspicacité des collectionneurs privés et des institutions publiques de Suisse romande, *L'Impressionnisme dans les collections romandes,* manifestation inaugurale de la Fondation, permit au public de découvrir plus d'une centaine de joyaux méconnus de l'impressionnisme. Quelques années plus tard, l'exposition *Claude Monet et ses amis,* centrée sur un groupe phare d'œuvres venues du Musée Marmottan, avait pour thème la créativité exceptionnelle de Monet à Giverny. *Armand Guillaumin,* en 1996, mettait à l'honneur un protagoniste moins connu de l'impressionnisme, très apprécié de son temps. Tandis que *Pointillisme. Sur les traces de Seurat* explorait deux ans plus tard les conséquences radicales de l'impressionnisme à travers le pointillisme, *Eugène Boudin,* en 2000, revint sur les prémices du mouvement et sur le rôle fondamental joué par le grand paysagiste dans son développement.

Avec *L'impressionnisme américain 1880-1915,* la Fondation de l'Hermitage souhaite une fois encore renouveler l'approche de ce mouvement en montrant de quelle façon l'aventure impressionniste, née en France, s'est poursuivie sur le Nouveau Continent. Si l'impressionnisme marque en effet une rupture fondamentale dans l'histoire de l'art moderne, les Etats-Unis l'ont salué et accueilli comme bien peu de pays en dehors de la France. C'est dans les années 1880 que le public américain, grâce aux efforts de quelques marchands parisiens, dont Durand-Ruel, découvre les artistes de la nouvelle école française. De nombreux peintres, fascinés par l'exemple des impressionnistes, se rendent en France, et notamment à Giverny. Décisive, l'influence de l'impressionnisme sur les artistes d'outre-Atlantique va s'allier à l'héritage des grands paysagistes américains pour prendre une forme véritablement originale.

Conçue par l'historien de l'art américain William Hauptman, que nous remercions chaleureusement pour son soutien et sa grande disponibilité, et présentée en exclusivité à la Fondation de l'Hermitage, l'exposition rassemble près de soixante tableaux, provenant d'importantes collections privées et publiques des Etats-Unis et d'Europe. Les principaux maîtres du mouvement que sont Mary Cassatt, Childe Hassam, Theodore Robinson et John Singer Sargent y côtoient d'autres peintres moins connus en Europe, tels William Merritt Chase, John Henry Twachtman ou Julian Alden Weir, pour offrir un panorama représentatif de l'impressionnisme aux Etats-Unis.

Nous exprimons notre vive reconnaissance aux auteurs du catalogue, qui par leurs recherches viennent enrichir notre connaissance de ce mouvement. Nous adressons enfin notre profonde gratitude aux nombreux collectionneurs et aux musées qui nous ont généreusement consenti des prêts, ainsi qu'à toutes celles et ceux qui ont apporté leur appui à cette réalisation.

Juliane Cosandier
Directrice de la Fondation de l'Hermitage

PRÉFACE

Le visiteur européen qui s'attarde dans la librairie d'un musée aux Etats-Unis ne manquera pas d'y trouver une foule de livres sur le mouvement impressionniste américain. Bon nombre de ces ouvrages sont des catalogues parus à l'occasion d'expositions organisées un peu partout en Amérique, et parfois dans des institutions que même les plus avertis parmi les voyageurs du Vieux Continent n'ont guère l'habitude de fréquenter. Des monographies imposantes, ou encore des catalogues raisonnés exhaustifs ont été par ailleurs publiés sur certains des acteurs majeurs de la scène artistique américaine, dont les noms sont à peine connus en Europe. Si ce même visiteur pénétrait dans la bibliothèque de ce musée, il découvrirait à coup sûr une multitude d'articles écrits par des étudiants passionnés ou des chercheurs chevronnés dans des revues spécialisées en art américain, dont la plupart rendent compte régulièrement des recherches les plus récentes sur les artistes nationaux. C'est ainsi que l'on découvre chaque année une pléthore de nouveaux tableaux, que l'on met constamment à jour la documentation, et que l'on suscite périodiquement de nouvelles sources d'intérêt — une dynamique qui souligne toute la minutie, l'endurance et la persévérance dont témoignent les experts américains pour étudier leur propre héritage impressionniste.

L'idée — pourtant si répandue aux Etats-Unis — qu'un mouvement impressionniste américain aux résonances et à l'attrait proprement yankees ait pu connaître un véritable épanouissement, paraît bien surprenante, sinon ahurissante, à bon nombre d'Européens, qui n'associent impressionnisme et Amérique que pour considérer la seconde comme un gigantesque dépôt du premier. La plupart des Européens semblent appréhender l'art américain — si tant est qu'ils s'y intéressent — avec l'idée étroite que bien peu d'œuvres réalisées durant la fin du XIXᵉ siècle soutiennent la comparaison, si ténue soit-elle, avec le modèle français. Le scepticisme dont a fait preuve jusqu'à récemment le public européen — même un public connaisseur — à l'égard des impressionnistes américains, traduit sa difficulté à comprendre que ces artistes puissent générer un intérêt mondial, ou parvenir aux premières places de la scène artistique, si aisément occupées par leurs homologues français. Les raisons de ce phénomène restent complexes, mais elles sont en partie dues à l'idée superficielle, bien implantée dans l'ego européen, que l'art américain est fondamentalement simple, en d'autres termes provincial à l'excès; que son iconographie est si rustique qu'elle ne peut accéder ni à la profondeur, ni à l'universel; que son essor est dû à un milieu artistique naïf, s'appuyant sur une société essentiellement mercantile, et donc en totale contradiction avec les grands mouvements artistiques de l'autre côté de l'Atlantique.

Cette méconnaissance européenne des fondements de l'art américain est apparue au grand jour lors d'une exposition montée à Paris en 1984, réunissant cent dix des œuvres les plus importantes et les plus appréciées, peintes entre 1760 et 1910[1]. Pierre Rosenberg, alors conservateur en chef du Département des peintures du Louvre, qui avait collaboré au choix de ces tableaux — sans se sentir très à l'aise, comme il devait l'avouer — n'hésitait pas à cette date à taxer le point de vue européen d'ignorance collective inexcusable. Ce que la plupart des Européens connaissent de l'art américain, remarquait-il avec finesse, se limite presque exclusivement à l'école expressionniste abstraite new-yorkaise de l'après-guerre. Des noms comme Pollock, De Kooning, Kline, Rothko ou d'autres, sont devenus tout à fait familiers à la majorité des gens et ont trouvé dès lors leur propre place historique dans les musées internationaux, certains se voyant gratifiés des suprêmes honneurs habituellement réservés aux anciens maîtres. De même, les grands artistes pop des années 60 et 70 ont été tellement lancés sur le marché qu'ils sont devenus à leur tour des icônes artistiques américaines, non seulement à Londres, Paris et Berlin, mais aussi à Prague, Helsinki et Bâle. Il n'est pas rare de voir les boîtes de soupe Campbell's de Warhol reproduites sur des cravates; les images érotiques de Wesselman transférées sur des foulards de luxe; les comics de Lichtenstein imprimés sur des tasses à café; les drapeaux de Jasper Johns décorant des cadrans de montre; ou même — manipulation plus étrange encore — une eau de toilette Andy Warhol, que la firme parisienne Confinluxe propose dans deux habillages différents: les flacons arborent, au choix, le signe du dollar de Warhol, ou sa série d'impressions de fleurs.

Cependant, le problème posé par Rosenberg dans sa préface reste fondamental: que sait réellement le public européen des premiers mouvements qui se sont manifestés dans l'art du Nouveau Monde, et dont sont issus entre autres ces développements artistiques? Combien de visiteurs d'exposition, quel que soit leur degré de formation ou d'information, connaissent de manière approfondie les peintures du passé américain? Combien pourraient citer une seule œuvre de Church, Mount, Heade, Johnson, Kensett, Moran ou Weir, pour ne citer qu'eux? Combien seraient capables de nommer un seul peintre luministe ou impressionniste américain, ou encore une œuvre particulière des Peale, de Cole ou de Gifford? Pour quelqu'un capable de reconnaître ou de faire allusion à un tableau de Mary Cassatt, ou de Winslow Homer comme exemples de l'art américain du XIXᵉ siècle, il y a tous ceux qui ignorent jusqu'aux noms de Childe Hassam, de Theodore Robinson et de tant d'autres, que la lacune devient d'autant plus manifeste.

La Suisse a organisé plusieurs expositions visant à éclairer le public sur un art qui paraissait jadis bien éloigné des grands courants internationaux. La plus importante fut celle de Zurich en 1989, qui présentait quatre-vingt-huit œuvres-clefs — un événement de poids, comparable à la manifestation tenue à Paris cinq ans plus tôt[2]. L'exposition se proposait de démontrer que l'art américain de cette période — qui correspond à son âge d'or — peut et doit être considéré à un niveau esthétique élevé; qu'il soutient parfaitement la comparaison avec ce qu'il est convenu d'appeler les chefs-d'œuvre de la peinture européenne de la même époque; enfin que l'Amérique, société démocratique occupant, de par ses frontières apparemment illimitées, une position unique dans le monde du XIXᵉ siècle, a conçu un langage artistique englobant toutes les idéologies européennes traditionnelles — du néo-classicisme et du romantisme au réalisme et à l'impressionnisme, et même au-delà —, mais puisant toujours par définition dans les sources physiques et esthétiques du pays. Les quinze essais composant le catalogue, dont certains étaient dus à des «américanistes» novices comme Otto von Simson, historien de l'art gothique renommé, et Helmut Börsch-Supan, grand spécialiste de Caspar David Friedrich, témoignaient d'un intérêt croissant de la part des Européens, et d'une érudition tout aussi inattendue que réconfortante[3]. Fait significatif, bon nombre des peintures de l'exposition provenaient de l'importante collection Thyssen-Bornemisza, à l'époque à Lugano et pour l'heure presque entièrement déposée à Madrid, car c'est l'une des rares en Europe qui n'a cessé de s'enrichir de chefs-d'œuvre américains durant ces trois dernières décennies.

Cette même collection devait être, une année plus tard, au cœur de l'exposition majeure consacrée à l'impressionnisme américain par la Fondation Thyssen-Bornemisza à Lugano[4]. Avec ses soixante-six toiles, la manifestation illustrait remarquablement la manière dont les artistes américains ont affronté l'idéal impressionniste, pour l'assimiler finalement dans leurs propres œuvres. L'exposition comprenait un ensemble d'artistes extrêmement vaste, depuis les plus célèbres, comme Mary Cassatt, jusqu'à un Edward Roth, qu'on ne connaît guère. Du point de vue chronologique, elle couvrait également un large spectre: Cassatt, la plus ancienne du groupe présenté à Lugano, est née en 1844, donc trente ans avant la première exposition impressionniste; quant à Roth, le plus jeune, il est mort en 1960 seulement, l'année où John F. Kennedy fut élu président. A la lumière de cette exposition, il apparaissait clairement que l'art impressionniste américain était exceptionnellement florissant, loin d'être fruste, contrairement à l'idée reçue, et beaucoup plus vivace qu'on n'aurait pu le supposer.

Toutes les expositions sont ou devraient être fondamentalement des expériences didactiques, ouvrant des portes closes ou masquées par l'ignorance, ou la pure négligence. En prenant pour thème la peinture impressionniste américaine, la Fondation de l'Hermitage répond à l'un de ses objectifs pédagogiques: présenter une école de peinture originale à un public qui a déjà pu se familiariser à de nombreuses reprises avec le langage et la technique de l'impressionnisme français. La présente exposition voudrait en outre souligner que tout en émanant des expériences esthétiques menées par les peintres français durant les années 1860 et 1870, l'impressionnisme fut lui-même un mouvement global, dont les divers échos se sont répercutés dans presque toutes les sociétés artistiques du Vieux Continent et du Nouveau Monde[5]. Il est vrai que lorsqu'on mentionne l'impressionnisme, ce sont les grands maîtres français tels que Monet, Renoir, Sisley et d'autres qui viennent immédiatement à l'esprit, bien que le grand public ait aussi tendance à inclure dans ce groupe des héritiers comme Gauguin, Van Gogh, Seurat ou Signac. Si cet éventail est historiquement trop large, l'inverse est également vrai : considérer l'impressionnisme uniquement comme un phénomène pictural français équivaut à limiter l'expressionnisme abstrait au seul mouvement américain.

Le langage et le style unificateurs de l'impressionnisme sont présents dans bon nombre de ces écoles et dans d'autres encore à la fin du XIXᵉ siècle, mais, comme on peut déjà le constater dans l'expérience américaine, une telle rhétorique semble avoir trouvé des interprètes particulièrement intéressants. Il y a à cela de nombreuses raisons historiques et esthétiques, qui seront examinées dans l'introduction, mais il faut d'emblée noter que l'Amérique était prête à saluer et accueillir l'impressionnisme comme bien peu d'autres pays en dehors de la France. Elle pouvait déjà s'enorgueillir de posséder une formidable réserve de paysages dus aux peintres de la Hudson River School — une idée soulignée en 1864 par James Jackson Jarves, l'un des premiers historiens de l'art américains, selon qui «le principal sujet de la peinture américaine est le paysage.»[6] Ce style pictural développa à son tour sa propre forme de réaction à la nature et à ses composantes — notamment les changements de lumière et les conditions atmosphériques — au travers d'un mouvement spécifiquement américain appelé le luminisme[7]. Alors que ces deux tendances sont fondamentalement plus descriptives et romantiques que l'impressionnisme et qu'elles le précèdent de nombreuses années, elles ont néanmoins fourni le terreau lui permettant de s'épanouir plus aisément dans un cadre apparemment étranger.

L'exposition ne saurait constituer une véritable rétrospective, pas plus qu'elle n'envisage de présenter les différentes phases du mouvement tel qu'il fut vécu en Amérique. Elle se propose bien plutôt de démontrer l'expression exceptionnellement riche de l'impressionnisme américain à la lumière d'exemples de qualité, sélectionnés pour leur beauté et leur caractère représentatif. Mais comme il s'agit d'un territoire encore peu exploré au sein de la scène artistique suisse, l'accent a été mis sur les principaux maîtres du mouvement, dont Sargent, Robinson et Hassam, qui fournissent à eux seuls pratiquement un tiers des œuvres exposées. On pourrait ajouter à la liste Mary Cassatt, mais ses peintures sont extrêmement difficiles à obtenir, et de nombreux prêts n'ont pu se concrétiser pour divers motifs. Si certaines œuvres-clefs n'ont pas été disponibles en raison de l'intérêt intense qu'elles suscitent aux Etats-Unis (elles sont parfois réservées des années à l'avance pour des expositions locales), d'autres tractations n'ont pu aboutir suite aux événements du 11 septembre 2002 à New York et à Washington. La plupart des artistes présentés sont des figures peu familières; certains d'entre eux ne sont pas même connus, si ce n'est des spécialistes. Mais tous donnent une image bien spécifique de cet art américain fondu dans le moule de l'impressionnisme.

William Hauptman

[1] L'exposition, intitulée *A New World: Masterpieces of American Painting 1760-1910* (*Un nouveau monde: chefs-d'œuvre de la peinture américaine, 1760-1910*), a été organisée en 1983 par le Museum of Fine Arts, à Boston; elle s'est ensuite déplacée à la Corcoran Gallery of Art à Washington, D.C., avant d'être présentée au Grand Palais à Paris de mars à juin 1984.

[2] *Bilder aus der Neuen Welt. Amerikanische Malerei des 18. und 19. Jahrhunderts. Meisterwerke aus der Sammlung Thyssen-Bornemisza und Museen der Vereinigten Staaten*, cat. expo., Berlin, Orangerie des Schlosses Charlottenburg et Kunsthaus Zürich, 1988-1989.

[3] Ce phénomène s'est manifesté encore plus clairement dans le colloque organisé à l'occasion de l'exposition, qui rassembla la plupart des experts européens, et dont les actes furent publiés quelques années plus tard: Thomas W. Gaehtgens et Heinz Ickstadt (éd.), *American Icons: Transatlantic Perspectives on Eighteenth- and Nineteenth-Century American Art*, Santa Monica, 1992.

[4] William H. Gerdts, *American Impressionism: Masterworks from Public and Private Collections in the United States*, cat. expo., Lugano-Castagnola, Fondation Thyssen-Bornemisza, 1990.

[5] Cf. notamment Ann Dumas et Michael Shapiro, *Impressionism: Paintings Collected By European Museums*, cat. expo., Atlanta, High Museum of Art, 1999, qui comprend des essais liminaires traitant de l'impact de la peinture impressionniste sur les collectionneurs en Allemagne, en Grande-Bretagne, en Hongrie, en Scandinavie et en Suisse.

[6] James Jackson Jarves, *The Art-Idea*, New York, 1864, p. 231. Pour une large vue d'ensemble sur l'importance du paysage dans la tradition artistique américaine, cf. notamment Hans Huth, *Nature and the Americans*, Berkeley, 1957; Barbara Novak, *American Painting of the Nineteenth Century. Realism, Idealism, and the American Experience*, New York, 1969; id., *Nature and Culture: American Landscape and Painting*, New York, 1980. Au sujet de la Hudson River School, cf. John K. Howat et al., *American Paradise: The World of the Hudson River School*, cat. expo., New York, Metropolitan Museum of Art, 1987.

[7] Le terme a déjà été employé et défini par John I. H. Baur dans plusieurs articles, notamment «Trends in American Painting, 1815 to 1865», dans *M. and M. Karolik Collection of American Paintings, 1815 to 1865*, Cambridge, Mass., 1949, pp. xv-lii, et «American Luminism, A Neglected Aspect of the Realist Movement in Nineteenth-Century American Painting», *Perspectives USA*, IX, automne 1954, pp. 90-98. On trouvera la présentation la plus complète du mouvement, observé littéralement sous son plus vaste éclairage, chez John Wilmerding, *American Light. The Luminist Movement, 1850-1875*, Princeton, 1989.

« AU PAYS DES YANKEES » :
L'IMPRESSIONNISME ET LE NOUVEAU MONDE

L'Américain semble avoir pour principe de ne pas prendre ce qui lui est offert ;
allant continuellement à la découverte, il ne prend que ce qu'il croit découvrir.
Thomas Couture [1]

La peinture américaine a toujours été sensible au développement général de
l'art en Europe, prenant ce qu'elle pouvait assimiler et l'adaptant à son usage.
Samuel Isham [2]

L'art du XIXe siècle s'est vu, plus que celui des époques précédentes, ponctué par un certain nombre d'«ismes» qui ont figé ses caractéristiques en différentes catégories stylistiques permettant de cataloguer, de façon parfois peu satisfaisante, les tendances et les divers courants d'idées qui se sont rapidement succédé durant l'une des périodes les plus turbulentes de l'histoire de l'art. Rarement dues aux artistes eux-mêmes, la plupart de ces classifications ont été conçues par les historiens et les critiques d'art qui, à l'instar des scientifiques, voulaient un moyen d'étiqueter des mouvements homogènes en apparence, afin de compartimenter de façon systématique des idéologies complexes. Ces catégories (comme le néo-classicisme ou le romantisme, pour citer deux des plus connues) n'ont une valeur de définition qu'au sens large, car elles ne délimitent qu'une petite partie des doctrines respectives, et souvent, ne peuvent s'appliquer dans la durée aux artistes censés répondre à ces concepts.

De fait, les divisions d'écoles et de mouvements ne constituent pas de véritables délimitations, et ne devraient jamais être considérées comme allant de soi. Elles n'établissent souvent pas les fondements esthétiques réels du mouvement, dont elles cernent à peine les caractéristiques authentiques, tout particulièrement en ce qui concerne l'art au XIXe siècle, où les frontières esthétiques et culturelles se chevauchent fréquemment. De plus, comme ces appellations ont généralement à cette époque leur source en France — Paris, d'où émanent la plupart des terminologies artistiques, faisant autorité —, elles ne peuvent s'appliquer de la même manière en dehors des frontières de l'Hexagone : l'Angleterre, l'Allemagne, l'Espagne, la Scandinavie, l'Europe de l'Est et l'Amérique sont souvent exclues de cet axe étroit ; et les limites de ces appellations paraissent d'autant plus flagrantes lorsqu'on emploie les termes de néo-classicisme ou de romantisme, par exemple, pour distinguer des courants à l'intérieur de ces écoles.

Le mouvement impressionniste, au sens le plus large du terme, en est un exemple éloquent. Aucune manifestation artistique du XIXe siècle n'a été plus encouragée ou plus associée à la naissance générique de l'art moderne que les idées émises en termes vagues par un petit groupe de peintres français à la fin des années 1860 et 1870. Les librairies des musées font fréquemment, dans la présentation de leur assortiment, la distinction entre les ouvrages sur l'art du XIXe siècle et ceux qui traitent du seul impressionnisme, afin que les clients potentiels puissent repérer ces derniers plus rapidement. Il existe ainsi un marché qui ne s'applique pas aux autres mouvements du même siècle. Les expositions consacrées à la peinture impressionniste sous toutes ses formes, ou à ses protagonistes en particulier, attirent régulièrement des foules énormes ; de même, les collectionneurs et les musées se disputent le petit stock de peintures périodiquement disponibles sur le marché. Celles-ci sont estimées à des prix tellement astronomiques qu'un médiocre Monet portant un cachet d'atelier plutôt qu'une signature de l'artiste pourrait valoir actuellement à peu près autant que deux Poussin voilà seulement quelques décennies. Et pourtant, malgré cette extraordinaire dépense d'énergie, l'estime générale et la promotion intensive de toute forme de peinture qualifiée d'impressionniste — et la classification peut être très vaste, selon qui l'applique et dans quelles circonstances —, le grand public connaît encore mal l'histoire, les objectifs, et même la simple définition du plus mythique des mouvements artistiques modernes. C'est la raison pour laquelle il est important de dissiper quelques-unes des légendes qui l'entourent, de façon à mieux comprendre comment les peintres américains, inspirés par le modèle français, ont forgé leur propre contexte impressionniste pour l'intégrer dans une idéologie différente.

Quelle est la (vraie) définition de l'impressionnisme ?

Le grand public est généralement convaincu que le mouvement impressionniste a été fondé par un groupe homogène de peintres français audacieux, peu enclins aux concessions et partageant des objectifs bien précis, censés balayer les valeurs artistiques bourgeoises. La légende veut également que ces peintres, rapidement étiquetés aujourd'hui comme les chefs de file de l'impressionnisme — notamment Monet, Renoir, Pissarro, Sisley, Degas, et plus tard Cézanne, Gauguin, Van Gogh et d'autres — s'identifiaient eux-mêmes sous cette curieuse appellation pour distinguer leur identité esthétique : une appréhension rapide de la nature, dont ils captaient la vérité à partir de l'observation directe de ses instants fugaces. On a souvent tendance à croire qu'ils avaient développé leur style en obéissant à des méthodes et des principes bien définis, tendant à se libérer d'anciens idéaux artistiques moribonds qui n'avaient plus la même valeur qu'autrefois. Cependant, ces idées, dont certaines sont librement entrées dans la littérature officielle, ne sont guère plus que des conceptions simplifiées, des notions réduites qui codifient une approche spécifique à un moment précis de la chronologie artistique du XIXe siècle.

A titre d'exemple, l'idée que la peinture de plein air réalisée à partir de phénomènes perçus, par opposition à la conception en atelier, découle de l'expérience impressionniste, est dénuée de tout fondement historique. On trouve des exemples antérieurs de travail en plein air dès la fin du XVIIIe siècle, notamment dans le vaste vivier des peintres européens ayant travaillé en Italie, y compris des artistes allemands, scandinaves et russes[3]. Plus proche de la France, Pierre-Henri de Valenciennes fait figure de pionnier en prônant au début du XIXe siècle, dans ses peintures et ses écrits, cette forme d'observation et d'exécution rapide, directement sur le motif. Valenciennes notait qu'il était essentiel pour l'étudiant, comme pour l'artiste accompli, de faire de rapides études en plein air sans travailler les détails ni les nuances, afin de développer un sens de la perception immédiate, et d'accentuer à partir de là une certaine vérité envers la nature qu'il est impossible de restituer dans le cadre de l'atelier. La rapidité de l'exécution était fondamentale si l'on voulait obtenir des images précises. Valenciennes prescrivait de se concentrer pendant deux heures pour réaliser une œuvre dans de telles conditions; il précisait que si l'on voulait capter un lever ou un coucher de soleil — donc une image plus changeante —, «il n'y [fallait] pas mettre plus d'une demi-heure»[4].

Les conseils de Valenciennes furent immédiatement suivis en France, non seulement grâce à la diffusion de son œuvre théorique, mais aussi à travers son enseignement, lorsqu'il fut nommé professeur à l'Ecole des beaux-arts après 1812. Il communiqua ainsi ses idées à des étudiants comme Michallon, qui à son tour

Fig. 1 Johann Jakob Ulrich, *Paysage*, sans date,
huile sur toile, 27,5 x 37,5 cm, collection privée

Fig. 2 Pierre Auguste Renoir, *Madame Georges Charpentier
et ses enfants*, 1878, huile sur toile, 153,7 x 190,2 cm,
New York, The Metropolitan Museum of Art, Catherine
Lorillard Wolfe Collection, Wolf Fund, 1907

les transmit à Corot, lequel devait influencer les générations futures. Ce n'est pas un hasard si, par la suite, son ouvrage devait rester une véritable référence pour les impressionnistes: Guillaumin y eut recours pour sa première introduction à l'art, et Pissarro le recommanda à son fils Lucien[5]. On pourrait imaginer que l'avant-gardisme avoué auquel tendait l'art français a favorisé le désir d'une interprétation plus libre de la nature, mais on en trouve des exemples aussi sous des climats artistiques plus conservateurs, comme la Suisse. Les études de nuages de Johann Jacob Ulrich, qui datent des années 1830, et dont la plupart pourraient fort bien être qualifiées de peinture impressionniste avant la lettre (fig. 1)[6], témoignent de la même sensibilité, avec des résultats saisissants, compte tenu notamment du milieu artistique traditionnel dans lequel travaillait l'artiste. Retenons ici que l'importance accordée par les impressionnistes à la peinture de plein air découlait tout naturellement des tendances européennes, qui se caractérisaient surtout par la volonté délibérée de définir un libéralisme artistique et de rejeter les aspects artificiels de la représentation de la nature selon les canons de la peinture française[7].

Les peintres que nous désignons actuellement sous le terme d'impressionnistes n'étaient pas liés par une seule et même doctrine, comme on a tendance à le croire. Lorsque le groupe exposa pour la première fois le 15 avril 1874 dans les ateliers du photographe Nadar, boulevard des Capucines, il n'était pas vraiment mû par un esprit de solidarité; réunissant des peintres animés par des idéaux différents, il était d'apparence plutôt hétéroclite. A sa création, il ne présentait aucune unité, que ce soit en termes d'objectifs explicites ou de méthodes déterminantes. Certains, comme Monet, exposaient des paysages de plein air sans se soucier de retoucher leurs observations rapides et rudimentaires — et en effet, ce n'étaient guère plus que des ébauches d'après nature —, tandis qu'un Renoir travaillait ses figures, se réclamant, dans sa manière et ses sujets, des racines académiques dont il était issu, et où il devait continuer à puiser (fig. 2)[8]. Surtout, ils se considéraient ouvertement comme des artistes indépendants qui s'étaient associés pour pouvoir profiter d'un autre moyen d'exposition et, si possible, de vente, en dehors des voies traditionnelles du marché dominé par les Salons, ins-

tances éminemment officielles qui favorisaient des formules plus conventionnelles. C'est pourquoi ils optèrent pour l'appellation banale, et curieusement
presque bourgeoise, de «Société anonyme des artistes peintres, sculpteurs, gra-
veurs, etc.», un titre qui aurait tout aussi bien pu s'appliquer à une association
de banquiers ou de pâtissiers qu'à un groupe de peintres séditieux.

A la mi-avril 1874, ces peintres ne songeaient certes pas à se qualifier eux-
mêmes d'«impressionnistes»; et de fait, l'origine de cette appellation devait
échapper à leur contrôle. Dix jours après l'ouverture de l'exposition, Louis
Leroy en publia un compte rendu acéré dans le journal humoristique *Le
Charivari*[9]. Pour se moquer du titre d'un tableau de Monet, il inventa le terme
d'«impressionniste», donnant ainsi naissance à une désignation censée être
sarcastique et péjorative, qu'aucun artiste du groupe n'avait choisie ou avec
laquelle il se sentait à l'aise[10]. Les peintres eux-mêmes préféraient s'appeler
«indépendants», bien qu'ils n'aient pas tous approuvé cette étiquette vague, qui
impliquait seulement la liberté par rapport à l'ordre établi, et pouvait tout aussi
bien s'appliquer à d'autres artistes en dehors des normes admises. Degas, par
exemple, ne se reconnut jamais comme un «impressionniste», préférant de beaucoup le terme de «réaliste». Mais cette classification ne fut pas retenue par les
historiens de l'art, parce qu'elle était déjà fortement liée au mouvement social
inspiré par Courbet, qui avait peu d'affinité avec la génération des années 1870.
Il est clair cependant que pour les impressionnistes, cette désignation servait à
souligner qu'ils étaient des peintres résolument modernes, se retranchant volon-
tairement du monde esthétique des académies qu'ils considéraient comme ago-
nisantes. C'est en ce sens que Sargent, par exemple, se décrivait à Vernon Lee en
1881 comme «un impressionniste», non pas pour dire qu'il faisait partie du
groupe — bien qu'il ait sympathisé avec lui — mais qu'il partageait ses idées
modernistes, même si elles ne correspondaient pas directement au strict dogme
impressionniste, comme Monet en était bien conscient[11].

D'ailleurs, si l'on dresse la liste des peintres de la première exposition impressionniste[12], on est souvent surpris de voir que ceux que l'on range aujourd'hui

sous ce vocable ne constituent qu'un petit pourcentage des exposants. Sur les trente artistes qui couvraient, avec presque deux cents œuvres, les murs tendus de brun-rouge des ateliers de Nadar, seuls les noms d'une huitaine de figures de proue nous seront probablement familiers — Boudin, Cézanne, Degas, Monet, Morisot, Pissarro, Renoir et Sisley. Or, ils ne totalisent à eux seuls qu'un quart des œuvres présentées au public durant le mois où l'on pouvait voir l'exposition[13]. La plupart des membres de la Société restèrent dans l'ombre de leurs collègues plus célèbres, au point de n'être plus connus que des seuls historiens de l'art spécialistes de ce domaine. Combien de personnes éclairées connaissent les noms d'Antoine-Ferdinand Attendu[14], qui exposait alors six œuvres, de Pierre Isidore Bureau (quatre), de Gustave Colin (cinq), ou de Louis Debras (quatre)? Combien d'entre nous savent qu'au nombre des participants, il y avait le sculpteur Auguste-Louis-Marie Ottin, qui présentait dix œuvres, ou que parmi les peintures tellement décriées par une critique déconcertée, on comptait cinq émaux de l'éphémère artiste Alfred Meyer — un genre qui ne s'apparente pourtant guère à l'impressionnisme[15]?

Il ne faut pas oublier non plus que dans cette exposition capitale, censée établir les concepts artistiques du groupe et marquer par la suite une rupture décisive pour l'art du XXe siècle, de nombreux artistes proposèrent des œuvres qui semblent, du moins d'après leurs titres, ne pas répondre fondamentalement au critère de ce que l'on considère aujourd'hui comme l'art impressionniste de base. Si les paysages de Monet, Pissarro et Sisley étaient conformes à l'idée d'enregistrer des sensations de lumière fugaces, observées et peintes directement d'après nature, les tableaux de figures méthodiquement composés de Degas et de Renoir — en fait, des œuvres peintes en atelier — trahissaient autant d'idées académiques qu'impressionnistes. On pouvait également voir des esquisses de Bracquemond s'inspirant de compositions de Rubens, ou encore des gravures de Ludovic Lepic qui montraient les portraits de deux de ses chiens, *César* et *Jupiter*; Debras exposait de son côté une peinture dont le titre, *Rembrandt dans son atelier*, paraît singulièrement peu impressionniste[16]; quant au sculpteur Ottin, lauréat du prestigieux Prix de Rome, qui entretenait des liens réguliers avec le gouvernement et acceptait volontiers des commandes officielles malgré son appartenance à ce groupe d'«indépendants», il présentait ce que l'on peut seulement décrire comme une étrange adjonction à une exposition qui cherchait à s'engager dans des directions radicalement nouvelles: un portrait en buste d'Ingres[17].

D'une façon générale, disons que les impressionnistes étaient divisés sur leur identité initiale, tout comme sur leurs objectifs spécifiques, hors celui de créer un nouveau marché pour l'exposition et la vente de leurs œuvres. Cela apparaît de façon particulièrement évidente avec leur deuxième exposition en 1876 — le groupe n'en monta pas en 1875 — qui se tint cette fois dans les trois salons de Paul Durand-Ruel à la rue Le Pelletier. Tout en étant largement consacrée au paysage, genre qui semblait entre tous le plus approprié pour exprimer le fondement esthétique de l'idéal impressionniste, elle accueillait aussi des œuvres qui ne répondaient pas vraiment à cet objectif. La première salle présentait treize toiles de Marcel Desboutin, y compris un portrait tout en sincérité du chanteur Jean-Baptiste Faure dans le rôle du comte de Nevers, tiré de l'opéra de Meyerbeer, *Les Huguenots*, qui, hormis son traitement qui évoque une esquisse, s'apparente davantage aux sujets équestres de Meissonnier qu'aux peintures de Monet; quant au sombre *Violoncelliste* de ce même peintre, il rappelle l'austère réalisme de Courbet vingt-cinq ans plus tôt, plus qu'il ne recherche le modernisme des années 1870. Se joignant au groupe pour l'exposition, Alphonse Legros, qui s'était établi à Londres en 1863, présentait douze œuvres incluant des thèmes impressionnistes peu courants, comme un portrait du philosophe anglais Thomas Carlyle, et même une œuvre religieuse, *La Communion*. Les nombreuses scènes de genre de Gustave Caillebotte, telles que ses célèbres *Raboteurs de parquets*, ou *Le bureau de coton à la Nouvelle-Orléans* de Degas, avaient enfin peu de points communs avec l'idéologie impressionniste: l'affectation des poses, la précision des gestes et les attitudes presque académiques, mais aussi l'usage de la perspective traditionnelle et les surfaces peintes sans à-coups sont autant d'éléments que l'on associe davantage aux artistes restés en dehors de l'impressionnisme.

Les expositions suivantes trahissent plus nettement encore ces dissensions d'ordre esthétique, de même que le mécontentement qui grondait au sein de la collectivité, annonçant les premiers signes de rupture. Lors de la troisième exposition, qui eut lieu en 1877 dans les cinq pièces d'un appartement loué en face de chez Durand-Ruel, Pissarro, le seul de la Société qui devait participer aux huit manifestations impressionnistes (sans jamais se départir par ailleurs de son admiration pour Ingres[18]), fut tellement déçu par la vision sociale de ses collègues, qu'il faillit se retirer du groupe et constituer, d'entente avec Cézanne et Guillaumin, une autre association de peintres plus rigoureux dans leurs concepts. Mais la faible représentation de ces derniers, de même que l'obstination de Caillebotte, finirent par ramener Pissarro au bercail, entraînant du même coup la soumission de Cézanne. Un semblable désaccord marqua également la quatrième exposition impressionniste, organisée cette fois à l'avenue de l'Opéra en 1878. C'est en ces termes que Mary Cassatt, la première Américaine à exposer officiellement avec le groupe, expliqua la situation à J. Alden Weir: «Vous savez combien il est difficile d'entamer quelque chose comme une action indépendante parmi des artistes français, nous menons une lutte désespérée et nous avons besoin de toutes nos forces, car chaque année, il y a de nouveaux déserteurs.»[19] La jeune femme faisait allusion à Renoir, Sisley, Cézanne et Morisot, qui s'étaient abstenus de participer à l'exposition. Renoir en était le parfait exemple: n'exposant qu'une seule peinture au Salon cette année-là, il continua d'être représenté dans les Salons officiels, où il était catalogué de manière traditionnelle comme un «élève de Gleyre». Par ailleurs, de nouveaux artistes moins radicaux comme Albert Lebourg[20], l'illustrateur Henry Somm[21], et l'Italien Federico Zandomenghi — ce dernier avait été introduit par Degas — exposèrent à eux seuls trente-huit œuvres, qui s'accordent tout juste avec l'idée que l'on se fait de l'impressionnisme.

On pourrait dès lors se demander si le terme «impressionnisme» doit être appliqué de manière aussi péremptoire puisqu'à l'époque, ses représentants supposés exposaient des œuvres qui correspondent à peine à la définition en cours aujourd'hui, si large soit-elle. L'historien de l'art Richard Brettell est même allé jusqu'à déclarer que l'impressionnisme en tant que définition était parfaitement obsolète et devait être chassé du vocabulaire de l'histoire de l'art[22]; une récente exposition dont il était le commissaire a tenté de faire le point au travers de quelques icônes de la peinture française de cette période[23]. Même chose pour un «mouvement» plus nébuleux encore que l'on appelle post-impressionnisme, dont le nom fut codifié par Roger Fry dans l'exposition pionnière qu'il monta à Londres en 1910. Considérer ses principaux champions — Seurat, Gauguin, Van Gogh et Cézanne — comme unis autour d'une théorie centrale, et par là même constitutive d'un «mouvement», est une attitude trompeuse, et même indéfendable. Dans son individualisme, l'approche de Seurat ne s'apparentait guère à celle de ses collègues, et les théories de Van Gogh et de Gauguin différaient tellement l'une de l'autre qu'ils ne pouvaient être qu'en opposition lorsqu'ils travaillaient tous deux en Arles. Quant à Cézanne, c'était un être à part, comme chacun sait, et ses affinités avec Van Gogh, Gauguin ou Seurat étaient si ténues qu'elles allaient jusqu'à dénier toute parenté esthétique.

Ce qui distingue aussi l'impressionnisme des divers grands mouvements artistiques du siècle, c'est son attachement exclusif à la peinture, aux dépens des autres arts, auxquels il ne fut jamais lié que par la tangente. Peut-on vraiment faire un cas d'espèce de la musique, comme l'ont tenté nombre d'inconditionnels de Debussy[24]? Faut-il distinguer une littérature impressionniste, et comment la définir[25]? Est-il possible d'étendre cette notion au cinéma, comme l'ont tenté certains chercheurs[26]? Ce qu'il faut bien comprendre, c'est que l'impressionnisme — aucun autre «label» n'ayant à ce jour remplacé celui-ci de façon satisfaisante — était une vague association de peintres aux objectifs esthétiques plutôt disparates, si ce n'est celui de consigner immédiatement des phénomènes visuels contemporains à l'aide de touches subtiles de couleur pure, directement mélangées au pinceau sur la surface à peindre. En France comme en Amérique, cette désignation était en outre une sorte d'expression fourre-tout pour qualifier une peinture de style moderne, en d'autres termes une peinture nouvelle présentant la plus récente tendance de l'avant-garde, mais même l'impressionnisme sous sa forme la plus pure — aligné donc sur le modernisme — pouvait être dépassé : lorsque John Singer Sargent exposa son portrait de Madame Edouard Pailleron au Salon de 1880, le critique Paul Mantz trouva que c'était « beaucoup plus moderne que les impressionnistes. »[27] Ainsi, dans ses nombreuses variantes, l'impressionnisme ne semble guère plus qu'une vaste idéologie des arts picturaux, englobant un éventail et un vocabulaire par trop généraux, dont la réalité et l'expression artistiques dépendent globalement de la culture qui lui a donné naissance. C'est précisément sous cet angle que l'on devrait envisager le phénomène de l'art américain durant les années impressionnistes.

L'Amérique et la France: points d'ancrage

Les artistes américains commencèrent à manifester un intérêt actif pour la France après que la brève Paix d'Amiens eut permis l'ouverture des frontières aux visiteurs étrangers. Le premier à exposer au Salon français fut Benjamin West, américain de naissance mais anglais d'adoption, qui présenta en 1802 une œuvre apocalyptique intitulée *La mort sur le cheval pâle*[28]. Mais la plus ancienne peinture américaine présentée à Paris et réalisée en France fut l'œuvre de John Vanderlyn, un disciple de François-André Vincent. Cette toile terrifiante, qui portait le titre de *Mort de Jane McCrea*[29] et représentait un massacre indien, fut remarquée au Salon de 1804 et contribua à promouvoir l'imagerie et l'iconographie américaines dans la peinture française[30]. Mais étrangement, la plupart des peintres américains qui se familiarisaient avec l'art français du début du XIXᵉ siècle, soit par leurs visites à Paris, soit grâce aux expositions d'œuvres d'art françaises aux Etats-Unis, le tenaient souvent en piètre estime. Tout en reconnaissant chez les Français leur traditionnel talent de dessinateur et leur maîtrise de la composition — conséquences d'un système pédagogique éprouvé et considéré depuis toujours comme un modèle à suivre —, ils déploraient constamment le manque d'animation dans leurs œuvres et, pis encore, le peu de souci qu'ils accordaient à la couleur. La situation ne changea que vers le milieu du siècle, lorsqu'un certain nombre d'artistes américains, de plus en plus découragés dans leur propre pays par une formation lacunaire et un mécénat apathique, cherchèrent à affiner leur goût et leur technique en allant étudier à l'étranger, notamment à Paris[31]. Leurs professeurs préférés étaient alors François-

Edouard Picot[32], Thomas Couture[33], et Charles Gleyre[34], des peintres traditionalistes qui incarnaient chacun une attitude différente à l'égard des méthodes d'enseignement, dont la peinture américaine devait tirer profit.

Goupil, qui fut le premier marchand parisien à ouvrir une succursale de ses galeries à New York en 1848, contribua fortement à la reconnaissance de l'art français contemporain auprès des Américains[35]. Il connut la célébrité en important des œuvres de maîtres renommés comme Delaroche, Vernet et Scheffer, qui correspondaient généralement à la sensibilité américaine — et à la sensibilité anglaise —, particulièrement portée vers les tableaux narratifs, anecdotiques et religieux habilement exécutés et de facture soignée. Les efforts d'Ernest Gambart[36], un marchand belge qui s'était installé à Londres, méritent également d'être soulignés. En 1857 et 1858, il exposa dans les plus importantes villes américaines un seul tableau, *Le marché aux chevaux de Paris* de Rosa Bonheur (fig. 3), que des milliers de visiteurs purent contempler sur la côte Est. Cette œuvre engendra à elle seule un tel enthousiasme qu'elle devint la peinture française la plus populaire de l'époque, et qu'elle allait le rester pendant des générations[37]. Pressentant un nouveau marché pour l'art français en Amérique, Gambart commença à importer des centaines de tableaux, qu'il exposa dans diverses galeries de New York, trouvant d'importants acheteurs à chaque exposition.

Fig. 3 Rosa Bonheur, *Le marché aux chevaux de Paris*, 1853-1855, huile sur toile, 244,5 x 506,7 cm, New York, The Metropolitan Museum of Art, Gift of Cornelius Vanderbilt, 1887

C'est au lendemain de la Guerre de Sécession que les Etats-Unis commencèrent à s'ouvrir au monde. Les artistes américains, quant à eux, cherchèrent à suivre une formation hors des institutions américaines moribondes, en Allemagne ou en France. Bon nombre d'entre eux s'installèrent à Paris. Certains y restèrent plusieurs décennies, enchantés par la ville et par toutes les possibilités artistiques qui leur étaient offertes, notamment l'étude des chefs-d'œuvre au Louvre. Parallèlement, l'art français devenait toujours plus connu aux Etats-Unis grâce à l'importation constante d'œuvres contemporaines. En mars 1866, la Maison Cadart et Luquet commença à monter des expositions à New York. Tout en mettant l'accent sur les arts graphiques — Cadart était président de la Société des Aquafortistes, qu'il avait fondée en 1863 — les expositions comprenaient également une importante sélection de peintures et de sculptures récentes[38]. Celles-ci rompaient avec les choix plus conservateurs de Goupil et Gambart — axés bien évidemment sur le goût de leur clientèle —, et l'on y trouvait non seulement des œuvres plus radicales de Corot, Daubigny, Jongkind et Boudin, mais aussi des travaux plus significatifs encore de Courbet et de Monet. Ce dernier exposait alors pour la première fois en territoire américain — la toile, une marine, n'a jamais été précisément identifiée —, tandis que Courbet avait déjà présenté *Les cribleuses de blé* à New York en 1859[39]. A l'exposition de Cadart, quatre peintures de Courbet furent livrées à l'examen des visiteurs: l'une d'elles, intitulée *La fin de la chasse*, mais connue aujourd'hui sous le nom de *La curée*, devait prendre une importance toute particulière. Peu remarquée à New York, elle connut une grande notoriété lorsqu'à la fin avril, l'exposition se déplaça à Boston: le public se fit plus dense car les collectionneurs bostoniens s'intéressaient vivement au réalisme et à l'école de Barbizon[40]. Un consortium d'acheteurs l'acquit pour un montant de 25000 francs français — soit 5000 dollars, une somme énorme pour l'époque — et c'est ainsi que la première peinture de Courbet entra dans une collection américaine. L'artiste en éprouva une telle reconnaissance qu'il fit don de plusieurs lithographies d'après ses œuvres. Au comble de l'enthousiasme, il se serait exclamé: «Qu'ai-je à faire du Salon, qu'ai-je à faire des honneurs quand les amateurs d'art d'un grand pays neuf connaissent, apprécient et achètent mes œuvres?»[41]

Ce nouveau marché de l'art français aux Etats-Unis prit son véritable essor lorsque l'importation de pièces de qualité répondit aux critères d'achat de mécènes américains, qui préféraient à présent l'art français contemporain aux maîtres plus anciens[42]. Cette orientation commerciale rencontra bien évidemment une forte opposition de la part des artistes américains, qui voyaient leurs débouchés régulièrement diminuer, et du même coup, leur cote baisser. Après l'exposition de Cadart en 1866, ils adressèrent une pétition directement au Congrès américain afin qu'il limite les importations en taxant lourdement l'art étranger, mais les réactions du public et des critiques n'y furent guère favorables. Clarence Cook, le critique d'art du *New York Tribune*, fustigea cette démarche comme sapant l'éducation du goût du public pour des raisons purement mercantiles: si les artistes américains se sentaient submergés par le flot d'œuvres françaises qui déferlaient sur le pays, il ne tenait qu'à eux, selon lui, de «regagner le terrain perdu ainsi que les faveurs du public.»[43] Finalement, la tentative se solda par un cuisant échec: l'importation, l'exposition et la vente des œuvres d'art françaises s'en trouvèrent même facilitées et la nation en devint de plus en plus friande.

Cette vague d'acquisitions est particulièrement manifeste dans les grandes collections, dont la constitution prit, dans les années 1870, les proportions d'une importante industrie de l'art. Les collectionneurs comme Stewart, Morgan, Walters, Clarke, Belmont, Astor, Vanderbilt et d'autres, amassèrent un nombre gigantesque de peintures françaises, noyau qui allait devenir le fondement même de nombreux musées américains, notamment à New York, Boston, Washington et Baltimore. Certes, ils témoignaient d'un certain conservatisme, avec une prédilection marquée pour des artistes comme Bouguereau, Breton, Gérôme, Meissonnier et certains des peintres pittoresques de Barbizon[44]. Mais les chefs de file de l'industrie américaine montrèrent aux Européens qu'ils étaient désireux d'acquérir des œuvres d'art françaises et capables de les payer à des prix faramineux, parfois même sans les avoir vues. On rapporte qu'en 1878, des Américains dépensèrent soit directement, soit par l'intermédiaire de leurs agents à Paris comme George Lucas ou Samuel Avery, la somme astronomique de trois millions de dollars — l'équivalent de quinze millions de francs français — pour acheter divers spécimens de peinture française. Ce chiffre, qui paraît déjà impressionnant en soi, devait quintupler quatre ans plus tard. Au seul Salon de 1883, certains collectionneurs américains déboursèrent plus d'un million de dollars pour acquérir des œuvres qu'ils importèrent ensuite aux Etats-Unis[45].

Cet engouement pour la peinture française en surprit plus d'un, à commencer par les Français qui devinrent très vite conscients des extraordinaires possibilités du marché américain. En 1886, le critique Edouard Durand-Gréville fut même envoyé pendant six mois aux Etats-Unis pour dresser un bilan des collections les plus importantes de Boston, Philadelphie, Baltimore et New York — à l'époque, toutes entre les mains de particuliers. C'est ainsi qu'il devait déclarer à ses lecteurs: «Nous n'aurions jamais cru [...] que les Etats-Unis, pays encore jeune, fussent si riches en œuvres de peintures, particulièrement en œuvres de l'Ecole française. Ce n'est pas par centaines, c'est par milliers qu'on les compte.»[46] Ces chiffres étaient à peine exagérés, comme en témoigne la collection Vanderbilt: sur les 208 œuvres qu'elle comprenait en avril 1886, lorsque Durand-Gréville la passa en revue, 108 étaient d'origine française. Ce qui stupéfia le critique ne fut pas seulement le nombre remarquable de toiles qu'il avait sous les yeux, mais aussi leur diversité. Cette collection comptait tout naturellement une grande quantité d'œuvres de Meissonnier, Gérôme, Breton, Bonheur et d'autres de la même tendance, mais aussi des dizaines de peintures romantiques, notamment de Delacroix; plusieurs Courbet figuraient aussi en bonne place. Durand-Gréville fut également surpris par la profusion de tableaux de l'école de Barbizon, avec d'incomparables exemples de Corot, Daubigny, Millet, Rousseau, Troyon et Diaz, dont certains, selon ses dires, étaient supérieurs à ceux que les Français pouvaient voir dans les collections parisiennes[47].

Si la plupart de ces œuvres reflétaient le goût inné des Américains pour les paysages plaisants et anecdotiques ou post-romantiques, elles démontraient aussi leur réticence vis-à-vis de l'avant-garde, tout au moins avant la fin du siècle. On peut observer ce phénomène dans les premières réactions au mouvement impressionniste de certains observateurs américains à Paris, notamment Henry James. Visitant la deuxième exposition impressionniste en 1876, où, soit dit en passant, Sargent devait rencontrer Monet pour la première fois, James accusa carrément le mouvement de donner lieu à de «dangereuses perversités du goût»[48]. James était frappé par le fait que ces partisans du nouveau réalisme paraissaient opposés à toute forme de sélection ou d'embellissement en art, éléments qu'il prisait particulièrement, tout comme la plupart des critiques et des collectionneurs américains. Sa visite lui rappela «toutes les bonnes vieilles règles qui décrètent que la beauté est la beauté et la laideur la laideur» — on s'imagine aisément où se situait cette dernière. En débattant sur les préceptes de la doctrine impressionniste, qu'il percevait comme une excroissance du préraphaélisme adepte de la «sincérité à l'égard de la nature», James pensait que le vrai talent était incompatible avec l'impressionnisme dans son ensemble. Il n'est guère surprenant que cette opinion ait été partagée par bon nombre d'artistes américains: formés au cours des années 1870 dans les ateliers de Gérôme, Cabanel, Bonnat et Carolus-Duran, ils restaient ébahis devant les extraordinaires libertés qu'ils percevaient dans ces œuvres, et dont aucune n'avait de rapport avec les leçons auxquelles ils étaient obligés de se plier durant leurs exercices quotidiens.

La réaction de J. Alden Weir, qui s'était inscrit dans l'atelier de Gérôme à l'automne 1873, illustre bien la difficulté pour les artistes américains d'affronter des peintures qui, au premier abord, avaient peu en commun avec ce que l'on leur avait enseigné aux Etats-Unis ou avec ce qu'ils entendaient parfaire sous la houlette de leurs maîtres français. Lorsque Weir alla voir la troisième exposition impressionniste en 1877, il écrivit à ses parents, dans une lettre datée du 25 avril, qu'il ne pouvait tolérer plus de quinze minutes ces œuvres inconvenantes sans ressentir l'irrépressible désir de quitter les lieux: «[Je me suis rendu à l'exposition] d'une nouvelle école qui se qualifie elle-même d'"impressionniste". Je n'ai jamais vu de ma vie des choses aussi horribles. [...] C'était pire que la chambre des horreurs»[49]. Non seulement ces peintures lui donnaient mal à la tête, ajoutait-il, mais elles le mirent en colère pendant des jours parce qu'il estimait avoir gaspillé une partie de sa maigre pension alimentaire pour payer son billet d'entrée. Pis encore, Weir se demandait si l'impressionnisme pouvait être véritablement considéré comme un mouvement artistique puisqu'il produisait un «effet [si] démoralisant».

Fig. 4 Edgar Degas, *La répétition d'un ballet*, vers 1876, gouache et pastel sur monotype sur papier, 55,2 x 68 cm, Kansas City, Missouri, The Nelson-Atkins Museum of Art, the Kenneth A. and Helen F. Spencer Foundation Acquisition Fund

Quelques Américains cependant n'étaient pas hostiles à certains peintres associés de près ou de loin à l'impressionnisme, mais apparemment moins radicaux sur le plan visuel. La même année où Weir sortit déconcerté de ses premières expériences impressionnistes, Louisine Elder, qui devait épouser par la suite H. O. Havemeyer, acquit une gouache de Degas (fig. 4) sur les conseils de Mary Cassatt, inaugurant ainsi une tradition dans le mécénat américain de l'impres-

Fig. 5 Edouard Manet, *L'enfant à l'épée*, 1861, huile sur toile, 131,1 x 93,4 cm, New York, The Metropolitan Museum of Art, Gift of Erwin Davis, 1889

sionnisme qui allait atteindre son apogée durant les dernières décennies du siècle[50]. Prêtée pour une exposition d'aquarelles à New York, elle fut probablement la première œuvre d'un artiste proche de l'impressionnisme à être exposée aux Etats-Unis et chaleureusement accueillie par les critiques et le public[51]. Ce fut aussi le cas de Manet, dont certains tableaux furent présentés successivement à New York et à Boston en 1879 et 1880, notamment son *Exécution de Maximilien*, qui en raison du sujet traité, à savoir une ruineuse intervention française au Mexique, présentait un attrait tout spécial aux yeux des Américains. Même s'il est vrai que certaines toiles de Manet furent à diverses reprises sévèrement jugées par la critique pour leur exécution lâche, et parfois la brutalité de leurs sujets, ses peintures commencèrent néanmoins à trouver des mécènes bien disposés aux Etats-Unis[52].

L'un des premiers fut Erwin Davis, un mineur prospère qui avait découvert de l'or en Californie, et commença à constituer ce qui allait devenir une belle collection. Davis acquérait parfois des œuvres directement chez les artistes durant ses séjours à Paris, mais en été 1881, il envoya Weir en Europe en qualité d'agent chargé de lui acheter des tableaux[53]. A Paris, Weir rencontra le peintre William Merritt Chase, et les deux hommes se rendirent ensemble chez Durand-Ruel, qui les persuada d'acheter *L'enfant à l'épée* (fig. 5) et *La femme au perroquet* (fig. 6) de Manet, des choix étranges de la part de Weir si l'on songe à ses remarques antérieures sur l'impressionnisme[54]. Cependant, Weir était curieux d'en savoir plus sur Manet et décida d'aller le voir dans sa résidence d'été à Versailles. Manet reçut cordialement ses visiteurs et leur montra d'autres œuvres, notamment une marine, que Weir acheta aussitôt[55]. Davis fut satisfait de ces acquisitions qui venaient heureusement compléter les œuvres de Degas et de Monet qu'il avait lui-même choisies. Après diverses tentatives pour vendre ces peintures, Davis en fit don au Metropolitan Museum of Art en 1889 — ce furent les premières œuvres de Manet à entrer dans un musée américain.

L'Amérique eut l'occasion de s'initier sur place à l'impressionnisme grâce à une exposition organisée à Boston en septembre 1883, sous la houlette de Paul

Durand-Ruel, qui intervenait pour la première fois dans le marché américain en germination. Certains impressionnistes n'étaient guère enthousiasmés par cette idée, surtout Pissarro, qui devait déclarer à Durand-Ruel: «Que serait-ce à Boston, si à Paris on nous traite de malades et de fous […].»[56] La plupart cependant envoyèrent des toiles par le truchement du marchand de tableaux. L'affaire se solda par une exposition relativement modeste, comprenant deux œuvres de Manet, trois de Monet, six de Pissarro, trois de Renoir, et trois de Sisley; le catalogue reproduisait en couverture la gravure de Manet intitulée *Le Christ aux anges*[57]. Cependant, ce sont les travaux les plus conservateurs qui vinrent couronner ces efforts, ralliant les suffrages de la plupart des critiques. Bon nombre de ces derniers rejetaient les œuvres impressionnistes, qu'ils considéraient comme vagues, superficielles et inachevées — guère plus que de simples esquisses, indignes d'être exposées. En juin, Pissarro, qui avait entendu parler du mauvais accueil réservé par la presse américaine à la manifestation, dit à Monet: «D'après des avis d'Américains, j'ai su que c'était une exposition médiocre, qui n'avait aucune influence.»[58]

Sur ce point néanmoins, il avait tort. La même année 1883, la France offrit aux Etats-Unis la *Statue de la Liberté* de Frédéric Auguste Bartholdi (intitulée en réalité *La Liberté éclairant le monde*). Si ce don n'était assorti d'aucune obligation, les fonds pour le piédestal devaient en revanche provenir de sources américaines. Une exposition au bénéfice de la statue fut en conséquence organisée par la National Academy of Design de New York sous la direction de William Merritt Chase et de J. Carroll Beckwith, avec pour principe justement d'exclure les œuvres conservatrices si appréciées des collectionneurs américains en faveur des styles plus progressistes qui avaient cours en France[59]. L'attitude de Chase fut sévèrement critiquée, même par les peintres[60], mais il parvint avec Beckwith à réunir 194 œuvres de 70 artistes, issues de toutes les écoles modernes d'Europe[61]. Les critiques qui suivirent l'ouverture en décembre furent étonnamment positives; en fait, les articles les plus négatifs visèrent non pas les œuvres exposées, mais plutôt l'absence de ces piliers de l'académisme si prisés en Amérique, tels que Cabanel, Gérôme et Bouguereau.

Fig. 6 Edouard Manet, *La femme au perroquet*, 1866, huile sur toile, 185,1 x 128,6 cm, New York, The Metropolitan Museum of Art, Gift of Erwin Davis, 1889

1886 (qui marqua, ironie du sort, la dernière exposition du groupe impression-niste à Paris) fut une année décisive pour l'impressionnisme français et sa récep-tion en Amérique. James F. Sutton, président de l'American Art Association de New York, demanda à Durand-Ruel de lui fournir un nombre important d'œuvres pour une grande exposition consacrée aux nouvelles orientations de l'école française moderne. Certains artistes de l'écurie de Durand-Ruel, comme Monet, rechignèrent à l'idée d'envoyer des peintures dans un pays où les idées impressionnistes ne semblaient pas encore avoir été acceptées. Faisant écho aux craintes émises auparavant par Pissarro, Monet déclara à Durand-Ruel l'année précédant l'exposition: «J'ai deux tableaux auxquels je travaille depuis un mois, mais j'avoue que certaines de ces toiles, je les verrais à regret partir aux pays des Yankees [...]»[62] Cependant, une fois encore, Durand-Ruel insista. Grâce à son charme et son obstination, il parvint à convaincre ses poulains et finit par réunir trois cent dix peintures — emballées dans cinquante-trois caisses —, dont près d'un tiers étaient de Monet et de Pissarro[63]. Cette fois, le terrain fut mieux pré-paré. On publia un catalogue destiné à informer le public des préceptes impres-sionnistes. Il comprenait la traduction d'un certain nombre de textes et d'ex-traits, notamment une introduction de Théodore Duret et différentes citations de critiques anglais et français, qui parachevaient la partie explicative[64]. Le contenu de l'exposition était impressionnant, tant par le nombre d'œuvres que par leur qualité: vingt-trois peintures de Degas, dix-sept de Manet, quarante-huit de Monet, quarante-deux de Pissarro, trente-huit de Renoir, quinze de Sisley, trois de Seurat; et d'autres de Boudin, Caillebotte, Cassatt et Morisot, plus une cinquantaine de travaux d'artistes qui n'étaient pas directement associés au mouvement. Comme les salles de l'American Art Association ne pouvaient être utilisées que pour un temps limité, l'exposition déménagea dès la fin mai à la National Academy of Design, et se vit enrichie de prêts supplémentaires de col-lectionneurs tels que Davis, Havemeyer et Alexander Cassatt, le frère de Mary.

Cette manifestation, pourtant controversée, fascina au plus haut point le public américain, qui s'y pressa en grand nombre. Certains critiques conservateurs continuèrent de faire chorus contre la nature progressiste de ces artistes, mais

sans jamais atteindre le degré de négativisme des habitués des expositions françaises. D'une manière générale, la présentation américaine se solda par un bilan
très positif pour Durand-Ruel. Les ventes furent massives, montrant que les
acheteurs américains, qui avaient dépensé auparavant des sommes considérables
pour les séduisants tenants de l'académisme, étaient désormais disposés à se plier
aux tendances modernes, phénomène rapidement compris par Durand-Ruel
qui ouvrit une succursale de sa galerie à New York en 1888. Dès lors, l'intérêt
des peintres américains pour le style impressionniste devint incontournable. Il
ne cessa de grandir jusqu'à prendre une forme américaine propre, que la France
ne devait reconnaître que plus tard[65].

William Hauptman

[1] Cf. Georges Bertauts-Couture, *Thomas Couture, 1815-1879*, Paris, 1932, p. 82.

[2] «American painting has always been sensitive to the general development of art in Europe, taking what it could assimilate and adapting it to its use.» Cf. Samuel Isham, *The History of American Painting*, New York, 1905, p. 363.

[3] Voir à ce sujet *Paysages d'Italie. Les peintres du plein air (1780-1830)*, cat. expo., Grand Palais, Paris, 2001.

[4] Pierre-Henri de Valenciennes, *Eléments de perspective pratique à l'usage des artistes,* 2ᵉ édition, Paris, 1820, pp. 338-339. La première édition parut en 1800. La pratique de la peinture en plein air avant l'impressionnisme a fait l'objet de plusieurs études, cf. notamment Philip Conisbee, «Pre-Romantic *plein air* Painting» *Art History*, II, 1979, pp. 413-428, et *Painting From Nature: The Tradition of Open-Air Oil Sketching From the 17th to the 19th Centuries,* cat. expo., Fitzwilliam Museum, Cambridge, 1981.

[5] Cf. Albert Boime, *The Academy and French Painting in the Nineteenth Century*, Londres, 1971, p. 136. Cf. également la *Correspondance de Camille Pissarro*, éd. par Janine Bailly-Herzberg, Paris, 1980, I, p. 260, lettre du 14 décembre 1883: «[…] c'est encore le meilleur et le plus pratique».

[6] Hans A. Lüthy, *Der Zürcher Maler Johann Jacob Ulrich II, 1798-1877. Ein Beitrag zur Geschichte der schweizerischen Landschaftsmalerei in der ersten Hälfte des 19. Jahrhunderts,* Zurich, 1965.

[7] Le choix de peindre directement d'après nature s'est imposé aussi dans d'autres circonstances; les aquarellistes anglais de la fin du XVIIIᵉ et du début du XIXᵉ siècle étaient particulièrement experts en la matière, notamment en raison des contraintes de leur technique. En France, les peintres académiques défendirent des idées semblables à propos des esquisses et des ébauches — cf. Boime, *op. cit.*, p. 79 sq. —, mais ces dernières œuvres étaient presque toujours retouchées pour répondre aux goûts du marché.

[8] Les deux peintres étaient à l'atelier de Gleyre en 1863, bien que Monet n'y soit resté, semble-t-il, que peu de temps; cf. William Hauptman, «Delaroche's and Gleyre's Teaching Ateliers and Their Group Portraits», *Studies in the History of Art* (The National Gallery of Washington), XVIII, novembre 1985, pp. 79-119. Renoir, toujours fier de sa formation académique, exposa souvent en qualité d'«élève de Gleyre».

[9] Louis Leroy, «L'Exposition des Impressionnistes», *Le Charivari*, 25 avril 1874.

[10] Cf. Stephen F. Eisenman, «The Intransient Artist or How the Impressionists Got Their Name», dans Charles S. Moffett (éd.), *The New Painting, Impressionism 1874-1886*, cat. expo., The San Francisco Museums of Art, San Francisco, 1988, pp. 51-57.

[11] Cf. Evan Charteris, *John Sargent*, Londres et New York, 1927, p. 251. Mais la fidélité de Sargent à l'impressionnisme est trompeuse. Cf. notamment Arthur Baignières, «Première exposition de la Société Internationale de peintres et sculpteurs», *Gazette des Beaux-Arts,* XXVII, février 1883, p. 190, qui qualifiait Sargent d'«impressionniste de premier ordre», tandis que Monet déclarait que Sargent «n'était pas un impressionniste, au sens où nous employons ce mot, il était trop sous l'influence de Carolus Duran», ainsi qu'il est mentionné chez Charteris, *op. cit.*, p. 130.

[12] La meilleure documentation sur l'exposition, reproduisant le catalogue dans son intégralité, se trouve chez Charles S. Moffett (éd.), *op. cit*, p. 93 sq.

[13] Boudin présentait six œuvres (dont deux pastels et une aquarelle); Cézanne, trois (dont une qualifiée d'esquisse); Degas, dix; Monet, neuf (dont cinq pastels); Morisot, neuf (dont cinq pastels et aquarelles); Pissarro, cinq; Renoir, sept (dont un pastel); et Sisley, cinq.

[14] Ce peintre est si obscur qu'on ne trouve que quatre lignes sur sa biographie dans Bénézit, I, pp. 523-524, où la date de sa mort n'est même pas mentionnée (1845-?). Il a néanmoins régulièrement participé aux Salons de 1870 à 1905.

[15] Meyer (1832-1904), étudiant du peintre académique Picot, travailla essentiellement comme céramiste à la Manufacture de Sèvres. Il devint un spécialiste de la porcelaine de Limoges. Cf. Bénézit, IX, p. 556.

[16] Louis Debras (1820-1899), qui avait épousé les idées du mouvement réaliste, n'éprouvait aucune affinité esthétique avec l'impressionnisme en soi. Cf. Bénézit, IV, p. 320.

[17] Cf. Stanislas Lami, *Dictionnaire des sculpteurs de l'école française au dix-neuvième siècle*, Paris, 1921, IV, pp. 27-32. La terre cuite représentant le portrait d'Ingres se trouve encore à l'Ecole des beaux-arts, bastion de l'académisme.

[18] Cf. une lettre du 20 mai 1883 adressée à Huysmans: «[…] quel artiste que Ingres!» (Bailly-Herzberg, *op. cit.*, I, p. 211).

[19] Cette lettre, datée du 10 mars 1878, se trouve chez Nancy Mowll Mathews (éd.), *Cassatt and Her Circle: Selected Letters*, New York, 1984, p. 137.

[20] Albert Lebourg (1849-1928), dont le travail était plus conservateur de nature que celui des vrais impressionnistes, fut inspiré par ses expériences en Algérie et dans les provinces françaises. Cf. Bénézit, VIII, pp. 383-385.

[21] Pseudonyme de François Clément Sommier (1844-1907), qui se distingua notamment par ses illustrations dans les revues populaires les plus connues. Cf. Bénézit, XIII, p. 16.

[22] Richard R. Brettell, *Modern Art 1851-1929*, Oxford, 1999, p. 19.

[23] Richard R. Brettell, *Impressionism: Painting Quickly in France, 1860-1890*, cat. expo., National Gallery, Londres, 2000.

[24] Cf. Christopher Palmer, *Impressionism in Music*, New York, 1974.

[25] Cf. Maria Elisabeth Kronegger, *Literary Impressionism*, New Haven, 1973, et Peter H. Stowell, *Literary Impressionism: James and Chekov*, Athens, Géorgie, 1980.

[26] Cf. Paul Bordwell, *French Impressionist Cinema*, New York, 1980.

[27] Paul Mantz, «Le Salon: VII», *Le Temps*, 20 juin 1880, p. 1.

[28] Cf. Fiske Kimball, «Benjamin West au Salon de 1802: La mort sur le cheval pâle», *Gazette des Beaux-Arts*, VII, juin 1932, pp. 403-410; ou plus récemment, Allen Staley, «West's *Death on the Pale Horse*», *Bulletin of the Detroit Institute of Arts*, LVIII, 1980, pp. 137-149, ainsi que Helmut von Erffa et Allen Staley, *The Paintings of Benjamin West*, 1986, New Haven et Londres, pp. 391-392, n° 403.

[29] Cf. Lois Marie Fink, *American Art at the Nineteenth-Century Paris Salons*, Cambridge, 1990, p. 18. Washington Allston présenta également un paysage à ce Salon, mais il est peu probable qu'il ait été peint en France.

[30] Toutefois, on avait rarement vu à Paris des peintures directement inspirées de sujets indiens avant

que Catlin n'expose ses œuvres — accompagnées d'une douzaine d'indiens en chair et en os — dans la capitale française en 1845 et 1846, où elles obtinrent les éloges de Baudelaire.

[31] En ce qui concerne l'étude de ce domaine, plusieurs sources sont extrêmement précieuses, notamment Lois Marie Fink, *The Role of France in American Art, 1850-1870*, thèse non publiée, Chicago, 1970; du même auteur, *American Art at the Nineteenth-Century Paris Salons*, Cambridge, 1990; et H. Barbara Weinberg, *The Lure of Paris: Nineteenth Century American Painters and Their French Teachers*, New York, 1991.

[32] Il n'existe aucune monographie sur Picot, mais cf. H. Barbara Weinberg, *op. cit.*, p. 46 sq.

[33] Au sujet des élèves américains de Couture, cf. Marchal E. Langren, *American Pupils of Thomas Couture*, cat. expo., University of Maryland Art Gallery, College Park, Maryland, 1970, et Albert Boime, *Thomas Couture and the Eclectic Vision*, New Haven, 1980, pp. 557-612.

[34] Au sujet de l'atelier et des étudiants de Gleyre, cf. William Hauptman, *Charles Gleyre (1806-1874). A Catalogue Raisonné*, Zurich-Princeton, 1996.

[35] Cf. Lois Marie Fink, «French Art in the United States, 1850-1870. Three Dealers and Collections», *Gazette des Beaux-Arts*, XVII, juillet-août 1978, pp. 87-100.

[36] L'ouvrage de référence sur les efforts de cet homme pour introduire l'art français en Angle-terre et aux Etats-Unis, est Jeremy Maas, *Gambart. Prince of the Victorian World*, Londres, 1975.

[37] Gambart vendit cette peinture pour une coquette somme à William Wright. En 1887, elle entra dans la collection de Cornelius Vanderbilt, qui devait en faire don par la suite au Metropolitan Museum of Art. Cf. Charles Sterling et Margaretta M. Salinger, *French Paintings. A Catalogue of the Collection of the Metropolitan Museum of Art*, New York, 1966, II, pp. 160-164.

[38] Cf. *First Exhibition in New York of Pictures [,] the Contributions of Artists of the French Etching Club*, New York, 1866. Les sculptures comprenaient des œuvres de Carrier-Belleuse, Bartholdi — qui devait plus tard réaliser la *Statue de la Liberté* — et surtout de Barye, représenté par vingt-quatre travaux. William Walters devint un acheteur particulièrement assidu de ses œuvres: en 1873, il commanda des copies en bronze de toute la production de Barye, à la suite de quoi le sculpteur se serait exclamé: «Mon Dieu, mon pays n'a jamais fait ça pour moi!»; cf. Fink, *op. cit.*, 1978, p. 91.

[39] Cf. Douglas E. Edelson, «Courbet's Reception in America Before 1900» dans Sarah Faunce et Linda Nochlin (éd.), *Courbet Reconsidered*, cat. expo., The Brooklyn Museum, New York, 1988, pp. 67-75.

[40] Cf. Robert Fernier, *La vie et l'œuvre de Gustave Courbet. Catalogue raisonné*, Lausanne et Paris, 1977, I, p. 116, n° 188. L'étude classique de Peter Bermingham, *American Art in the Barbizon Mood*, Washington, D.C., 1975, évoque les raisons du succès de Courbet à Boston. Ce fut aussi le cas de Millet, qui y trouva des débouchés réguliers plus facilement qu'à New York; cf. Susan Fleming, «The Boston Patrons of Jean-François Millet», dans *Jean-François Millet*, cat. expo., Museum of Fine Arts, Boston, 1984, pp. ix-xviii.

[41] L'histoire de la vente est retracée par William Howe Downes dans «Boston Painters and Paintings» *Atlantic Monthly*, LXII, octobre 1888, pp. 503-506. La phrase de Courbet citée par Downes (p. 504) lui avait été rapportée par un ami du peintre, Armand Gautier.

[42] Cf. Albert Boime, «America's Purchasing Power and the Evolution of European Art in the Late Nineteenth Century», dans Francis Haskell (éd.), *Saloni, gallerie, musei e loro influenza sullo sviluppo dell'arte dei secoli XIX e XX* (actes du XXIVe Congrès international d'histoire de l'art), Bologne, 1981, pp. 123-140.

[43] Cité par Fink, *op. cit.*, 1978, p. 92. Cf. également Eliot Clark, *History of the National Academy of Design*, New York, 1954, p. 86.

[44] Pour plus de détails sur la vente de ces richesses, voir la description en trois volumes de Edward Strahan, *The Art Treasures of America*, Philadelphie, 1879-1882. Strahan était le pseudonyme d'Earl Shinn, lui-même peintre, qui avait étudié avec Gérôme.

[45] Cf. H. Barbara Weinberg, *op. cit.*, p. 78.

[46] Edouard Durand-Gréville, «La peinture aux Etats-Unis. Les galeries privées», *Gazette des Beaux-Arts*, XXXVI, juillet 1887, pp. 65-75 et septembre 1887, pp. 250-254.

[47] Dans le cas de Millet, ce n'était pas une exagération. Lancés par William Morris Hunt, qui étudia avec Couture et Millet, les travaux de Millet firent leur entrée en Amérique dans les années 1850 grâce aux acquisitions de Martin Brimmer qui acheta bon nombre d'œuvres directement au peintre. Dans les années 1860, un autre collectionneur de Boston, Quincy Adams Shaw, réunit le plus vaste ensemble d'œuvres de Millet dans le monde, y compris la France: vingt-six huiles, vingt-sept pastels et trois eaux-fortes.

[48] Henry James, «Parisian Festivities», *New York Tribune*, Paris, 13 mai 1876 et réimprimé sous le titre «The Impressionists, 1876» dans Henry James, *The Painter's Eye*, Cambridge, 1956, pp. 114-115.

[49] Cité par Dorothy Weir Young, *The Life and Letters of J. Alden Weir*, éd. par L. W. Chisolm, New York, 1971, p. 123.

[50] Sur le legs Havemeyer, cf. notamment Frances Weitzenhoffer, *The Havemeyers: Impressionism Comes to America*, New York, 1986; Susan Alyson Stein et al. (éd.), *Splendid Legacy — The Havemeyer Collection*, cat. expo., The Metropolitan Museum of Art, New York, 1993; cf. également Sylvie Patin et Gary Tinterow (éd.), *La collection Havemeyer. Quand l'Amérique découvrait l'impressionnisme…*, cat. expo., Musée d'Orsay, Paris, 1997. Les souvenirs personnels de Louisine Havemeyer ont été publiés sous le titre *Sixteen to Sixty: Memoirs of a Collector*, New York, 1961.

[51] Cf. William H. Gerdts, *American Impressionism*, New York, 1984, p. 49.

[52] Cf. Hans Huth, «Impressionism Comes to America», *Gazette des Beaux-Arts*, XXIX, avril 1946, p. 226 sq.

[53] Cf. Frances Weitzenhoffer, «First Manet Painting to Enter an American Museum», *Gazette des Beaux-Arts*, XCVII, mars 1981, pp. 125-129.

[54] Voir Françoise Cachin et Charles S. Moffett (éd.), *Manet, 1832-1883*, cat. expo., Grand Palais, Paris, 1983, pp. 76-78 et 258. Weir acquit également le *Violoncelliste* de Courbet, diverses eaux-fortes de Rembrandt, un Vélasquez ainsi que des portraits de Reynolds et de Gainsborough, cf. Dorothy Weir Young, *op. cit.*, p. 145.

[55] *Ibid.*, pp. 145-146, mais Weir se trompa en l'identifiant comme «une lutte entre l'Alabama et le Kearsage [sic]»; il s'agit des *Marsouins*, aujourd'hui au Philadelphia Museum of Art.

[56] Lettre à Durand-Ruel, datée du 19 mai 1883, cf. Bailly-Herzberg, *op. cit.*, I, p. 209.

[57] *Catalogue of the Art Department. Foreign Exhibition*, Boston, 1883. Le contexte était une exposition de l'art et de l'industrie pseudo internationale, cautionnée par plusieurs gouvernements, qui assuraient que les œuvres d'art pourraient être admises aux Etats-Unis sans être taxées.

[58] Lettre à Monet, datée du 12 juin 1883, cf. Bailly-Herzberg, *op. cit.*, I, p. 217.

[59] Cf. Huth, *op. cit.*, p. 231 sq.

[60] George Inness fut l'un d'eux. Cf. à ce sujet George Inness, Jr., *Life of George Inness*, New York, 1917, p. 169.

[61] Maureen C. O'Brien traite de cette exposition et de l'ensemble des peintures dans *In Support of Liberty: European Paintings at the 1883 Pedestal Fund Art Loan Exhibition*, , cat. expo., The Parrish Museum, Southhampton, New York, 1986.

[62] Lettre à Durand-Ruel, datée du 28 juillet 1885, cf. Lionello Venturi, *Les archives de l'impressionnisme*, Paris et New York, 1939, I, p. 295.

[63] *Special Exhibition: Works in Oil and Pastel by the Impressionists of Paris*, cat. expo., National Academy of Design, New York, 1886.

[64] Le catalogue citait notamment le compte rendu de Georges Geffroy dans *La Justice*, 23 juin 1883; celui du *London Evening Standard*, 13 juillet 1883; celui de Charles Pellet dans le *Journal des débats*, 15 octobre 1884; deux articles d'Octave Mirbeau dans *La France*, 21 novembre et 8 décembre 1884; un autre d'Alexandre Georget dans *L'Echo de Paris*, 13 janvier 1885; un autre enfin de Philippe Burty dans *La République Française*, 11 mai 1885.

[65] Force fut aux Français de reconnaître l'évident intérêt des peintres américains pour l'impressionnisme lors de l'Exposition Universelle de Paris en 1900, où le pavillon américain était spécialement bien fourni en œuvres se réclamant de cette tendance. Cf. Gabriel P. Weisberg, «La France et l'art américain à l'Exposition Universelle de 1900» dans *Paris 1900. Les artistes américains et l'Exposition Universelle*, cat. expo., Musée Carnavalet, Paris, 2001, pp. 139-158, qui offre bon nombre de renseignements utiles sur l'attitude des Français à ce sujet.

RÉFLEXION SUR L'IMPRESSIONNISME
AMÉRICAIN ET SON STYLE

L'impressionnisme hors de la France

Si l'impressionnisme naquit en France et non aux Etats-Unis, les Américains, comme d'autres avant eux, l'ont domestiqué dans les années 1890 pour l'adapter à leur propre usage. L'impressionnisme devint à cette époque un style véritablement international, affectant le langage pictural de presque tous les pays. Il s'implanta en Italie, en Espagne, en Allemagne, en Russie, en Scandinavie, en Suisse, en Angleterre, en Ecosse et au Canada, mais aussi en Australie et même au Japon (on pourrait presque, dans ce dernier cas, parler d'un prêté pour un rendu, les estampes japonaises ayant joué un rôle crucial dans le développement de l'impressionnisme en Occident).

Les Américains furent bien obligés d'admettre que l'impressionnisme n'avait pas grandi chez eux — même si de temps à autres, certains furent tentés de prouver le contraire. Ils l'accueillirent néanmoins chaleureusement, lui prodiguant toute l'affection nécessaire à son épanouissement, et l'initiant à leur propre langage (sans parvenir, cependant, à lui faire perdre complètement son accent français). Aujourd'hui, peu de courants artistiques américains peuvent se targuer d'être aussi populaires, d'avoir fait l'objet de collections aussi passionnées, et de publications aussi nombreuses.

Particulièrement sensibles à l'impressionnisme, les Américains furent parmi les premiers au monde à collectionner avec un rare bonheur les représentants français de ce mouvement. Certains d'entre eux, il est vrai, eurent l'heureuse idée de se laisser guider et encourager par Mary Cassatt, seul peintre américain à faire partie du cercle impressionniste en France. Membre de la même caste sociale que les collectionneurs, elle était leur amie, et vivant dans l'Hexagone, elle leur servait effectivement d'agent. Toujours prêts à accepter un conseil éclairé, ces amateurs se sont distingués par leur goût, leur discernement et leur extrême générosité. Grâce à eux, les collections publiques américaines — que ce soit à Boston, Chicago, New York ou Washington — ont longtemps possédé plus de peintures impressionnistes qu'aucun autre pays, hormis la France elle-même.

Les Américains savaient qu'il existait des formes d'impressionnisme dignes d'intérêt ailleurs qu'en France. Ils connaissaient, par exemple, les paysages de James McNeill Whistler au pouvoir évocateur quasi illimité, appelés «nocturnes». L'impressionnisme de Whistler, ou plus exactement ses «impressions», pour employer les mots de l'artiste, influença fortement les Américains, peut-être parce que lui-même, bien qu'il s'en défendît, avait vu le jour à Lowell, ville industrielle de la Nouvelle-Angleterre, dans le Massachusetts. Quoi qu'il en soit, un article sur Whistler publié en 1886 dans une revue d'art américaine alla jusqu'à le qualifier de «chef de file» des impressionnistes. Les délicats paysages d'hiver de John Twachtman, que seule la couleur anime, sont inconcevables sans Whistler, tout comme l'atmosphère confinée des intérieurs de Thomas Dewing. J. Alden Weir connaissait personnellement Whistler, et plusieurs de ses vues citadines peintes après la mort de ce dernier reprennent, certainement en hommage, le terme musical de «nocturne» dans leur titre. Edward Simmons admirait tant Whistler que dans ses mémoires, il a beaucoup plus parlé de lui que des impressionnistes français, dont il fait à peine mention. Les paysages d'hiver de Twachtman et Willard Metcalf manifestent l'influence des blancs de Whistler, dont on pouvait admirer aux Etats-Unis la fameuse *Fille blanche*. D'une manière générale, les artistes américains appréciaient les impressions nocturnes de Whistler autant que celles peintes sous l'éclatante lumière du soleil.

Les Américains furent également influencés par d'autres formes d'impressionnisme, ou par ce qu'ils considéraient, non sans raison, comme relevant de l'impressionnisme. Les œuvres de William Merritt Chase, notamment les paysages de Shinnecock, qui font partie de la fine fleur de l'impressionnisme américain, doivent plus aux tableaux extrêmement brillants — quoiqu'un peu miniaturistes et secs — du peintre espagnol Mario Fortuny, qu'à n'importe lequel des impressionnistes français. Les Américains connaissaient également Frank Currier, formé à Munich, surnommé la «comète sauvage américano-munichoise», qui fit sensation à New York à la fin des années 1870 grâce à ses paysages à la touche large et rapide, qualifiés d'impressionnistes, tout comme à la même époque les peintures de Winslow Homer. Si les travaux de Currier et de Homer furent aussi jugés «incohérents» et «vides de sens», c'est bien parce que de nombreux Américains, abordant l'impressionnisme pour la première fois, furent déconcertés par leur complexité. Leur forme obscure, pensaient-ils non sans une pointe d'amertume, n'était accessible, de façon fort peu démocratique, qu'à une «secte» ou une «clique» d'admirateurs initiés.

Couleurs primitives et couleurs raffinées

Des artistes comme Whistler et Currier, qui ont travaillé avec une palette très restreinte, pour ne pas dire monochrome, nous rappellent que l'intensité de la couleur n'était pas le seul attribut significatif de l'esthétique impressionniste. Tout comme d'autres, les Américains ne considéraient pas nécessairement la couleur intense comme une vertu. Hamlin Garland nota que les impressionnistes étaient «avant tout des coloristes» utilisant les couleurs pures, soit le rouge, le bleu et le jaune, qu'il appelait couleurs primaires, comme nous le faisons aujourd'hui. Mais Garland qualifia aussi ces couleurs de «primitives» et «brutes», leur donnant ainsi une connotation de sauvagerie et de barbarie. Un autre Américain parla des couleurs «barbares» qu'employaient les impressionnistes français; et le critique français Louis Vauxcelles, qui traita de «fauves» Matisse, Derain, Vlaminck et d'autres au Salon d'Automne de 1905, se référait lui aussi à la hardiesse et à la prodigalité de leur palette. Dans le même ordre d'idées, les couleurs pures furent utilisées en 1901 à la Pan American Fair de Buffalo, dans l'état de New York, pour coder visuellement le thème de l'exposition, à savoir le développement de l'humanité. Les «couleurs primaires les plus fortes [et les plus crues] devaient être appliquées» au stade le plus ancien et le plus primitif. Les couleurs «raffinées et moins contrastées» suggéraient, quant à elles, le progrès de la civilisation. Au sommet de la pyramide, «le triomphe de l'accomplissement de l'homme» (situé bien entendu en 1901) était représenté par les couleurs les plus légères et les plus subtiles. Si l'on se réfère à cette codification, les tons délicatement assourdis de Whistler, qui semblent rester très en deçà d'un impressionnisme tout en chromatisme, représentent au contraire un style plus civilisé et, d'une certaine manière, plus élevé. Voilà qui pourrait expliquer l'attrait qu'ils présentaient aux yeux des Américains.

Quoi qu'il en soit, la couleur n'était pas la seule marque d'identification de l'impressionnisme. Richard Brettell a récemment montré que ce style était tout autant caractérisé par la «rapidité de l'exécution», notamment dans le discours populaire. En 1892, la critique d'art américaine Cecilia Waern expliquait que «pour la plupart des gens», l'impressionnisme «est purement et simplement lié à la manière de peindre. Leur œil est choqué ou effrayé par les giclements ou la rudesse de cette peinture dont ils ont entendu parler comme étant impressionniste.» Whistler était particulièrement connu pour peindre rapidement. Le temps que lui prenait l'exécution de ses tableaux — environ deux jours, selon son propre aveu — fut au cœur même des débats lors du procès qu'il avait intenté au critique John Ruskin en 1878, après que ce dernier l'eut accusé de «jeter un pot de peinture à la face du public». Mais pour beaucoup de gens, peindre rapidement — «jeter de la peinture» —, et faire visiblement de cette rapidité une part importante, si ce n'est même essentielle de l'aspect et de la signification d'un tableau, sont encore les caractéristiques majeures de l'impressionnisme. On enseigne toujours dans les écoles qu'à cause de cette rapidité d'exécution, les formes suggérées et les effets des peintures impressionnistes n'ont de sens que si elles sont regardées à distance. Lorsque les critiques déclaraient que les œuvres impressionnistes étaient des «barbouillages» réalisés «à la va-vite», et qu'ils prononçaient des mots comme «léchages» et surtout «impressions», ils voulaient précisément parler de cette peinture rapide. C'est pour leur touche rapide qu'ils ne cherchaient aucunement à masquer, que certains maîtres anciens furent admis parmi les ancêtres de l'impressionnisme, tels Frans Hals et Diego Velásquez, tous deux redécouverts avec enthousiasme au XIXe siècle, ou des artistes plus anciens encore, comme les peintres romains ayant subi l'influence hellénique, ou les enlumineurs carolingiens du psautier d'Utrecht — car au tournant du siècle, on voyait l'impressionnisme presque partout. Velásquez, le héros de Whistler, de William Merritt Chase et de bien d'autres, était le père fondateur le plus fréquemment évoqué.

Pour les Américains cependant, le principal attribut de l'impressionnisme était la couleur. «Les impressionnistes sont avant tout des coloristes», déclara Hamlin

Garland dans une formule lapidaire, tandis qu'un autre critique décrivit l'impressionnisme comme «la manie du bleu et du jaune». D'autres encore mirent l'accent sur la «violetomanie» de ce mouvement: «Toutes les nuances de pourpre ont envahi les palettes des peintres de plein air», pouvait-on lire en 1889, et en 1892, William Howe Downes déclarait avec une parfaite assurance que «la pierre angulaire de l'impressionnisme [était] l'utilisation des teintes pourpres». Avec une égale assurance, Garland affirma de son côté que les impressionnistes utilisaient «le rouge, le bleu et le jaune». De plus, pour la majorité des Américains, impressionnisme chromatique et impressionnisme français n'étaient qu'une seule et même chose. «C'est la couleur […] qui distingue le travail des Français», écrivit un critique New-Yorkais, tandis qu'un autre à Boston remarquait: «[la couleur est] la caractéristique dominante des paysages produits par ces fameux impressionnistes […] [C'est] la qualité générale des meilleurs paysages qui arrivent aujourd'hui de France, qu'ils soient peints par des Français ou des Américains. Les jeunes gens […] adoptent plus ou moins consciemment les manières et le point de vue de Messieurs Renoir, Monet, Sisley, Pissarro, et les autres.»

Durand-Ruel, agent de l'impressionnisme aux Etats-Unis

L'impressionnisme a son origine en France, vers le milieu des années 1860. Il acquit son nom et sa popularité au travers d'expositions tenues entre 1874 et 1886 par un groupe d'artistes à la recherche d'une peinture naturaliste et anti-académique, et grâce aux efforts de Paul Durand-Ruel, l'un des rares marchands de tableaux à croire en ce courant pictural. Mais les Américains ne vinrent pas immédiatement à l'impressionnisme, et vice-versa: l'impressionnisme ne toucha véritablement l'Amérique que beaucoup plus tard, soit une vingtaine d'années après son apparition en France. Auparavant, les Américains n'étaient pas prêts, semble-t-il, à l'accepter. Après s'être rendu à la troisième exposition des impressionnistes en 1877, J. Alden Weir déclara que c'était une expérience «pire que la chambre des horreurs», et que de surcroît, elle lui avait donné mal à la tête. Une dizaine d'années plus tard, il allait devenir l'un des principaux supporters de ce mouvement.

Les relations de l'Amérique avec l'impressionnisme se sont manifestées sous deux formes essentielles. Les quelque trois cents peintures impressionnistes que Durand-Ruel avait fait venir à New York en 1886 permirent aux Américains de s'initier au mouvement de manière décisive: elles suscitèrent rapidement un intérêt critique et une curiosité intelligente. Ce courant de sympathie s'étendit aux impressionnistes américains, dont le nombre ne cessait de croître. A la même époque, la France vit débarquer toute une colonie américaine sur son sol. En 1886 et 1887, John Breck, Theodore Wendel, Willard Metcalf et Theodore Robinson se trouvèrent dans ce qui était le sanctuaire de l'impressionnisme — ou devait bientôt le devenir, en grande partie grâce à eux, mais aussi à tous leurs compatriotes qui s'y rendaient ou s'y installaient: Giverny, où Claude Monet possédait une maison depuis 1883.

Si les Américains prirent véritablement conscience de l'impressionnisme dans les années 1880, c'est seulement un peu plus tard que cette découverte «se concrétisa», pour reprendre la formule employée par William Howe Downes en 1892. En 1890, plusieurs peintres impressionnistes étaient représentés à New York dans les grandes expositions de la National Academy of Design (l'équivalent en Amérique, de l'Ecole des beaux-arts et du Salon), et de la toute nouvelle et sécessionniste Society of American Artists (qui manifestait une sympathie «évidente» pour l'impressionnisme, comme le nota un critique). Plus remarquable encore, cette société décerna la même année le prix du meilleur paysage à Theodore Robinson pour le *Paysage d'hiver* (*Winter Landscape*, Chicago, Terra Collection) qu'il avait peint à Giverny: c'était la première fois qu'une peinture impressionniste se voyait octroyer un tel honneur. C'est aussi vers 1890 que Weir adopta l'impressionnisme comme son mode d'expression préféré. L'artiste se sentait attiré par cette manière parce qu'elle détenait «une vérité [qu'il] n'avait jamais ressentie auparavant», et qu'elle pouvait rendre «toutes les phases de la nature», mais aussi et surtout parce qu'elle lui permettait d'en restituer un morceau devenu très cher à son cœur, à savoir la propriété qu'il venait d'acquérir à Branchville, dans le Connecticut. A la même époque et pour les mêmes raisons, John Twachtman, l'ami de Weir, commençait à peindre ses paysages les plus impressionnistes, des vues de sa maison de Round Hill et de la campagne avoisinante. Les œuvres réalisées à Appledore sur les îles de Shoals, au large de la côte de la Nouvelle-Angleterre, par Childe Hassam, présentent un impressionnisme accentué et très cohérent. Quant aux toiles peintes par William Merritt Chase à Shinnecock sur la côte sud de Long Island, où il devait passer l'été avec sa famille à partir de 1892, elles sont considérées aujourd'hui comme les meilleurs paysages impressionnistes américains. Ce sont là bien évidemment des preuves de l'enracinement de l'impressionnisme aux Etats-Unis: pleinement assimilé par les artistes, il fut étroitement associé à des sites particuliers, tout comme l'impressionnisme français avait été et reste toujours identifié à des lieux tels qu'Argenteuil ou Giverny.

Les «Ten American Painters»

C'est dans les mêmes années 1890 que l'impressionnisme américain revêtit un caractère institutionnel, notamment par le biais des cours d'été que William Merritt Chase donna dès 1892 à Shinnecock. Avec la couleur et la rapidité d'exécution, la peinture de plein air était généralement considérée comme l'attribut principal et la condition essentielle de l'impressionnisme. Soigneusement codifié et réduit à des règles, l'impressionnisme pouvait ainsi être enseigné. Autre signe d'institutionnalisation: en 1897, dix artistes membres de la Society of American Artists, ne supportant plus la politique et le conservatisme croissant de cet organisme où ils présentaient le plus souvent leurs œuvres, le quittèrent pour former une nouvelle association, qui devait monter sa première exposition en 1898 et sa dernière en 1918. Hormis la stricte limitation de ses membres, le groupe des «Ten American Painters» (Dix peintres américains), ainsi qu'il devait s'appeler, n'affichait aucune cohérence stylistique rigoureuse, et aucun programme idéologique. Son objectif essentiel, qui était de fournir à ses membres l'occasion d'exposer régulièrement au sein de groupes homogènes et dans des lieux agréables et appropriés, ne différait guère en fait de celui du groupe impressionniste français initial. Montée par J. Alden Weir, John Twachtman et Childe Hassam (qui devait par la suite s'attribuer la plus grande part du mérite), l'association fut rejointe par Willard Metcalf et Thomas Dewing, installés à

New York, ainsi que les artistes bostoniens Edward Simmons, Edmund Tarbell, Robert Reid, Frank Benson et Joseph De Camp. Theodore Robinson aurait fait partie du groupe s'il n'était décédé avant sa constitution. Sollicités d'y entrer, Winslow Homer et Abbott Thayer déclinèrent l'offre. Lorsque Twachtman mourut en 1902, William Merritt Chase le remplaça. Tous les grands impressionnistes américains ne furent pas membres des Dix, pas plus que les membres des Dix ne furent tous des impressionnistes. Simmons, par exemple, peignait essentiellement des fresques allégoriques pour les édifices publics; quant à Dewing, ses scènes d'intérieur intimistes n'étaient impressionnistes que dans la plus vaste acception du terme — celle qui prend Whistler pleinement en compte. Néanmoins, l'impressionnisme était couramment considéré comme le dénominateur commun des Dix — «le drapeau de l'impressionnisme flotte sur tout le groupe», écrivait-on en 1914 —, et cette association passait pour être une sorte d'académie impressionniste, l'institution impressionniste américaine par excellence.

Dans un article qu'il consacra en 1890 à Claude Monet, Theodore Robinson distinguait deux qualités qui conféraient selon lui à l'impressionnisme toute sa pertinence et son attrait (il ne citait pas les Américains, mais étant donné sa position privilégiée, il y pensait certainement). L'impressionnisme, écrivait-il, «doit d'abord être remercié bien évidemment pour son indépendance et sa révolte contre la routine, le *chic* et l'*habileté* des écoles; [et deuxièmement] pour la voix qu'il exprime au nom de la lumière et des couleurs brillantes et pures, toutes choses dont les peintres et le public ont plus ou moins peur.» Ainsi, en 1890, bien des années après sa naissance en France, l'impressionnisme avait toujours pour Robinson et d'autres Américains cette qualité de fraîcheur, cette nouveauté moderniste et ce parfum de rébellion capables de défier les méthodes et les mœurs artistiques conventionnelles. Et il était aussi un langage artistique nouveau, fondé principalement, sur «la lumière et les couleurs brillantes et pures». Robinson n'a pas développé sa pensée, mais peut-être Hamlin Garland suggéra-t-il plus ou moins la même chose dans son fameux essai sur l'impressionnisme, paru en 1894. Ce n'était pas seulement que la couleur fût la caractéristique notoire du style impressionniste; pour Garland, «le changement de méthode indiqué par un chromatisme vif et intrépide, révèle un changement d'attitude radical envers l'univers physique. Laissons se méfier le critique qui croit que cette vue impressionniste de la nature est une vogue ou une lubie. Elle est une découverte, née d'une vision plus claire et d'une étude plus soigneuse — une perception qui a été déniée aux peintres antérieurs, tout comme la force que nous appelons électricité était une puissance ingouvernable une génération plus tôt.» Les artistes étaient attirés par «la lumière et les couleurs brillantes et pures» de l'impressionnisme, mais cette attirance n'était pas le fait de la mode, du goût ou de l'intuition personnelle: l'impressionnisme était tellement ancré dans son temps qu'on ne pouvait tout simplement pas y échapper. Vu sous cet angle, l'impressionnisme ne fut pas au sens usuel un style librement inventé, ni tiré des langages artistiques du passé, comme ce fut souvent le cas au XIXᵉ siècle. Il fut plutôt, comme le dit Garland, un langage neuf et sans précédent, un mode d'expression spécifique de son époque, qui avait été «dénié aux peintres antérieurs» comme l'électricité aux générations précédentes. On croit souvent que l'affiliation stylistique est une question de choix personnel et de libre volonté artistique. Pour Robinson et Garland, l'impressionnisme ne fut pas tant librement choisi qu'historiquement déterminé. De ce point de vue caractéristique de la fin du XIXᵉ siècle — il n'est que de citer Darwin, Marx ou Taine — l'impressionnisme était bel et bien inéluctable. Comme l'a noté Heinrich Wölfflin dans ses *Principes fondamentaux de l'histoire de l'art*, écrits au début du XXᵉ siècle, mais encore nettement imprégnés du déterminisme cher au XIXᵉ siècle, «tout n'est pas possible à toutes les époques, et certains concepts» — tels que l'impressionnisme — «ne peuvent être pensés qu'à certains stades du développement [historique]».

Un «désir ardent d'autorité»

Au lendemain de la guerre de Sécession, les Américains qui étaient retournés chez eux dans les années 1870 après avoir étudié à Munich et à Paris, qui étaient le lieu de nouvelles expérimentations artistiques, commencèrent à remettre en question tout ce que leurs compatriotes avaient jusqu'alors cru en matière d'art.

Plutôt que les paysages panoramiques minutieusement peints de Frederic Church et Albert Bierstadt, qui étaient les champions de l'art américain avant la Guerre de Sécession (et pour lesquels les Américains étaient prêts à payer des fortunes), les jeunes artistes se tournèrent vers la figure, qu'ils traitèrent d'une manière large et hardie. Loin de reproduire fidèlement la nature, leurs tableaux étaient d'audacieuses démonstrations techniques, où le sujet passait souvent au second plan. Au lieu de rester chez eux et d'apprendre à représenter la nature de leur pays en l'observant respectueusement, comme on l'avait pratiquement exigé de leurs aînés, ils affluèrent en Europe pour y étudier un art différent, peindre des sujets européens, et même, dans certains cas, s'installer et travailler sur le Vieux Continent («Mon Dieu! J'aimerais mieux aller en Europe qu'au ciel» s'était exclamé William Merritt Chase, exprimant l'opinion de cette génération). Refusant de développer un style américain, comme par le passé, ils firent tout pour ne pouvoir être distingués de ceux qu'ils considéraient comme les meilleurs artistes européens, et pour «peindre», selon les termes d'un critique américain, «comme les autres». Pour ces artistes et leurs alliés, les années 1870 furent une époque exaltante; c'était presque une période de rébellion et de renaissance, d'où devait surgir un art américain plus élevé, plus vigoureux, plus sophistiqué, et, à tout prendre, plus cultivé. On misait beaucoup sur l'avenir artistique des Etats-Unis, placé entre les mains de ces jeunes talents. Bon nombre d'entre eux n'avaient pas encore trente ans et portaient les traces encore toute fraîches de leur formation à l'étranger, mais dans le feu de l'action, on négligea ces facteurs ou on les excusa, croyant fermement qu'avec le temps et la maturité se développeraient des formes d'expression plus personnelles et donc plus représentatives de l'Amérique.

Mais rien de tout cela ne se produisit. Vers 1890, l'excitation était retombée, les promesses envolées et l'enthousiasme avait viré au désenchantement. En 1891, Frank Millet, un artiste de cette génération, exprima le découragement qui régnait face aux promesses non tenues et à l'affaiblissement de l'énergie créatrice, par cet euphémisme teinté d'ironie: «Nos artistes ne montrent pas en ce moment d'extraordinaires signes d'impulsion originale.» Et c'était vrai. Les artistes américains semblaient patauger sans objectif clair ni langage distinctif, errant sans cesse de manière en manière, à la recherche d'un style qu'ils ne parvenaient pas à trouver.

En cette fin de siècle, le climat de malaise et d'incertitude qui régnait alors s'est transformé en antidote, en un «désir ardent d'autorité», selon les termes de l'artiste John La Farge. C'est peut-être ce «désir ardent» qui conduisit les artistes américains à l'impressionnisme. En effet, alors que l'impressionnisme pouvait être considéré comme une manière de voir à la fois nouvelle et historiquement définie, ainsi que le croyait Hamlin Garland, c'était aussi et plus simplement un genre pictural distinct et, fait important, susceptible d'être copié. Il existait une «formule bien définie de l'école impressionniste», écrivait la critique d'art Cecilia Waern, et William Howe Downes déclarait sans ambages : «[Presque] tous les impressionnistes dignes de ce nom emploient la même méthode [et] l'ont adoptée comme système.» En d'autres termes, l'impressionnisme offrait aux Américains désorientés les certitudes réconfortantes d'une formule (consistant, comme le savaient la plupart d'entre eux, dans la couleur pure et la rapidité de la touche), et leur fournissait ainsi une issue.

Le besoin d'ordre et d'autorité était si profond à la fin du XIXe siècle, qu'il ne pouvait être satisfait par le seul impressionnisme. Tandis que certains peintres américains s'orientèrent vers ce mouvement et créèrent le groupe des Dix, d'autres cherchèrent un guide et un réconfort du côté de la Renaissance italienne. L'impressionnisme et la résurgence de la Renaissance étaient, bien évidemment, des courants distincts, qui s'exprimaient sous des formes et dans des médiums très différents, l'un dans la peinture et l'autre essentiellement dans la sculpture, et surtout l'architecture. Mais chacun à leur manière, que ce soit par le biais d'une façon de peindre systématisée ou de canons formels établis, répondait au même besoin d'ordre et de codification. Ce n'est donc probablement pas un hasard si une manifestation les vit alors se partager la même scène artistique : la Chicago World's Columbian Exposition de 1893, qui constitua la plate-forme la plus remarquable qu'ait fournie l'Amérique de la fin du XIXe siècle. Sur le plan architectural, la manifestation était placée sous le signe de la Renaissance. Mais l'un des bâtiments construit dans ce style abritait une grande exposition internationale de peintures, où les impressionnistes étaient fortement représentés, au point que Hamlin Garland put écrire son essai sur l'impressionnisme en se fondant essentiellement sur qu'il avait vu en ces lieux. D'autres édifices arboraient des décorations murales commandées à Mary Cassatt, J. Alden Weir, Edward Simmons et Robert Reid, tous liés au mouvement.

Un mouvement multiforme

Mais revenons, pour terminer, à notre point de départ. Si l'impressionnisme américain a été considéré comme un rejeton de l'impressionnisme français, il est également évident qu'il n'y a pas entre eux une ressemblance aussi étroite que ce discours le laisse entendre. Les historiens de l'art américains ont justifié de deux manières les différences qui existent entre ces deux courants. Les artistes américains, ont-ils affirmé, témoignaient d'un conservatisme provincial dans leur mentalité (mais non dans la pratique, car ils avaient beaucoup voyagé, et bon nombre d'entre eux avaient étudié en Europe), et en conséquence, ils ne pouvaient abandonner les conventions du dessin ni la rigueur de la forme. Aussi étaient-ils incapables de suivre très loin l'impressionnisme français sur le terrain des couleurs et de l'ampleur picturale. On a également soutenu que les qualités inhérentes à la vision artistique américaine, jointes à une tradition indigène de réalisme descriptif, avaient modifié, sciemment ou non, l'impressionnisme français, l'adaptant à l'usage américain pour lui conférer une saveur locale.

C'est un plaidoyer un peu particulier, bien sûr, mais il est inévitable si le modèle de l'impressionnisme américain est l'impressionnisme français. Cependant, ce modèle est lacunaire. Comme on l'a vu, l'impressionnisme français n'était pas le seul qui ait influencé les Américains. Plus sérieusement, dire de l'impressionnisme français qu'il est le modèle de l'impressionnisme américain est forcément humiliant pour ce dernier. En effet, si l'on part du principe que l'impressionnisme américain est essentiellement dérivé de l'impressionnisme français, mais qu'en même temps, il ne lui ressemble pas exactement, cela peut seulement signifier que les Américains étaient incapables d'imiter plus précisément l'impressionnisme français parce qu'ils n'étaient pas en mesure de le comprendre. Sous cet angle, l'impressionnisme américain serait fatalement défectueux, et apparaîtrait dès lors comme un véritable échec.

Le problème vient de ce que l'on parle de «l'impressionnisme français» en termes trop vagues, comme si l'on avait affaire à un phénomène monolithique et immuable. Or c'est faux, bien évidemment. Le mouvement a revêtu de multiples aspects, et englobé des artistes aussi différents qu'Edgar Degas et Claude Monet. Il a son histoire, et n'est pas le même dans les années 1870 et dans les années 1880. Les Américains ont soutenu que l'impressionnisme avait opté pour une forme différente aux Etats-Unis pour des raisons culturelles: les artistes ne pouvaient se départir des styles traditionnels parce que leur préférence innée pour la tangibilité et la solidité les empêchait fondamentalement d'admettre la dissolution des éléments par la lumière colorée chère aux impressionnistes français. Lorsque les Américains prirent conscience de l'impressionnisme français, vers 1890, ce mouvement, qui avait subi une «crise» vers le milieu des années 1880, s'était lui-même transformé. Il n'est pas trop réducteur de dire que ce changement avait essentiellement consisté à ramener l'impressionnisme à la tradition, et de revenir notamment au dessin, à une composition très structurée et une forme solidement modelée, toutes choses dont on l'avait rigoureusement débarrassé au début de son histoire. Cézanne, qui devait jouer un rôle décisif dans cette refonte de l'impressionnisme, déclara qu'il voulait en faire «quelque chose de solide et de durable comme l'art des musées». Mais ces vestiges du passé que le seul terme de musée suffit à évoquer, était justement ce dont les Américains ne pouvaient apparemment pas se défaire; ce sont justement ces facteurs, agissant sur l'impressionnisme aux Etats-Unis, qui provoquèrent des divergences par rapport au mouvement esthétique français, tant dans l'aspect que dans la qualité. Mais en l'occurrence, la présence du dessin, de la structure et de la forme modelée ne s'est pas limitée en cette fin de siècle au seul style impressionniste des Américains. Loin d'être spécifiquement américaines, ces caractéristiques étaient très répandues, et pour être plus précis, elles firent partie intégrante de la refonte de l'impressionnisme en France, qui s'effectua au milieu des années 1880. En d'autres termes, ce que les Américains firent à l'impressionnisme, d'autres l'ont fait aussi. Les formes artistiques traditionnelles que les Américains ont préservées dans leur langage impressionniste, étaient précisément celles que d'autres, — et parmi eux, les artistes les plus avant-gardistes de l'époque — s'étaient résolument engagés à rétablir. C'est ainsi que les peintures impressionnistes américaines des années 1890 s'apparentent souvent très étroitement, non aux premières formes de l'impressionnisme français, mais aux œuvres post-impressionnistes d'artistes comme Cézanne et Seurat, qui non seulement ont apporté à l'impressionnisme des moyens formels traditionnels, mais sont retournés à ce qui était, dans la tradition académique, le sujet principal de l'art : la figure humaine.

Nicolai Cikovsky, Jr.
Ancien conservateur en chef du Département des peintures anglaises et américaines
National Gallery of Art, Washington, D.C.

CATALOGUE

Mary Cassatt
Portrait de Lydia Cassatt ou *L'automne*, 1880
huile sur toile, 92,5 x 65,4 cm
Paris, Petit Palais, Musée des Beaux-Arts
de la Ville de Paris
cat. n° 9

Mary Cassatt
Mère Jeanne et sa fille aînée, 1908
huile sur toile, 70 x 59,7 cm
collection privée
cat. n° 11

Mary Cassatt
Le bain, 1910
huile sur toile, 99 x 129 cm
Paris, Petit Palais, Musée des Beaux-Arts
de la Ville de Paris
cat. n° 12

Mary Cassatt
Sara and Her Mother admiring the Baby, vers 1901
(Sara et sa mère admirant le bébé)
pastel sur papier, 64 x 80 cm
collection privée
cat. n° 10

Mary Cassatt
Jeune femme et son enfant, vers 1914
pastel sur papier, 66 x 57 cm
collection privée
cat. n° 13

Alfred Wordsworth Thompson
The Garden at Monte Carlo, vers 1876
(Le jardin à Monte-Carlo)
huile sur toile, 48,3 x 82 cm
Lugano, Fondazione Thyssen-Bornemisza
cat. n° 51

Otto Henry Bacher
Doge's Palace from the Lagoon, 1880
(Le Palais des Doges depuis la lagune)
huile sur panneau, 29,5 x 46,3 cm
collection Graham Williford, en dépôt au
Dallas Museum of Art
cat. n° 1

Dennis Miller Bunker
Lacroix-Saint-Ouen, Oise, 1883
huile sur toile, 95,6 x 127,3 cm
Chicago, Terra Foundation for the Arts,
Daniel J. Terra Collection
cat. n° 7

Dennis Miller Bunker
Brittany Crosses, 1884
(Croix bretonnes)
huile sur panneau, 32,7 x 24,1 cm
collection privée, courtesy Berry-Hill Galleries, New York
cat. n° 8

Eugene Laurence Vail
Barques de pêche à Concarneau, vers 1884
huile sur toile, 132 x 190 cm
Musée de Brest
cat. n° 54

Walter Gay
Le Bénédicité, 1888
huile sur toile, 184 x 112,6 cm
Amiens, Musée de Picardie
cat. n° 22

William Merritt Chase
Sketch of my Hound «Kuttie», vers 1885
(Esquisse d'après mon chien Kuttie)
huile sur toile, 33 x 40,6 cm
collection Graham Williford, en dépôt au
Dallas Museum of Art
cat. n° 15

William Merritt Chase
Girl in Japanese Costume, vers 1888
(Jeune femme en costume japonais)
huile sur toile, 62,9 x 40 cm
Brooklyn Museum of Art, Gift of Isabella S. Kurtz
in memory of Charles M. Kurtz
cat. n° 17

William Merritt Chase
Pulling for Shore, vers 1886
(Vers le rivage)
huile sur panneau, 43,2 x 74,3 cm
New York, Berry-Hill Galleries
cat. n° 16

William Merritt Chase
Shinnecock Hills, 1893-1897
huile sur panneau, 44,4 x 54,6 cm
Madrid, Museo Thyssen-Bornemisza
cat. n° 18

Charles Caryl Coleman
Villa Castello, Capri, 1895
huile sur panneau, 31,1 x 54,6 cm
collection Graham Williford, en dépôt au
Dallas Museum of Art
cat. n° 19

Robert Blum
Cherry Blossoms, Spring, 1892
(Fleurs de cerisier, printemps)
huile sur toile, 73 x 34 cm
New York, Berry-Hill Galleries
cat. n° 4

Lowell Birge Harrison
Novembre, 1881
huile sur toile, 130 x 248 cm
Paris, Fonds national d'art contemporain,
Ministère de la culture et de la communication,
en dépôt au Musée des Beaux-Arts de Rennes
cat. n° 23

Edward Simmons
Winter Twilight on the Charles River, sans date
(Crépuscule d'hiver sur la Charles River)
huile sur toile, 35,6 x 56,5 cm
collection Graham Williford, en dépôt au
Dallas Museum of Art
cat. n° 49

John Singer Sargent
Portrait d'Edouard Pailleron, 1879
huile sur toile, 127 x 94 cm
Paris, Musée d'Orsay (Dépôt du Musée national
du Château de Versailles), don de Madame Pailleron,
veuve d'Edouard Pailleron, 1900
cat. n° 41

John Singer Sargent
Portrait d'Auguste Rodin, 1884
huile sur toile, 72,4 x 52,4 cm
Paris, Musée Rodin
cat. n° 42

John Singer Sargent
Portrait de Gabriel Fauré, vers 1889
huile sur toile, 52,4 x 47,6 cm
Paris, Musée de la Musique/Cité de la Musique
cat. n° 46

John Singer Sargent
Portrait de Jacques-Emile Blanche, vers 1886
huile sur toile, 81,9 x 48,9 cm
Rouen, Musée des Beaux-Arts,
donation Jacques-Emile Blanche, 1922
cat. n° 44

John Singer Sargent
In the Orchard, vers 1886
(Dans le verger)
huile sur toile, 61 x 73,7 cm
collection privée
cat. n° 43

John Singer Sargent
A Lady and a Child Asleep in a Punt under a Willow, 1887
(Une femme et un enfant endormis dans une barque sous un saule)
huile sur toile, 55,9 x 68,6 cm
Lisbonne, Calouste Gulbenkian Museum
cat. n° 45

John Singer Sargent
Pomegranates, Majorca, 1908
(Grenades, Majorque)
huile sur toile, 57 x 72 cm
New York, Berry-Hill Galleries
cat. n° 47

Irving Ramsey Wiles
Woman Reading on a Bench ou *Sunshine and Shadow*, vers 1895
(Femme lisant sur un banc ou *Soleil et ombre)*
huile sur panneau, 40,5 x 35,5 cm
Lugano, Fondazione Thyssen-Bornemisza
cat. n° 59

Willard Leroy Metcalf
On the Suffolk Coast, 1885
(Sur la côte du Suffolk)
huile sur toile, 27 x 38 cm
New York, Berry-Hill Galleries
cat. n° 30

Willard Leroy Metcalf
The Lily Pond, 1887
(Le bassin aux nymphéas)
huile sur toile, 30,8 x 38,3 cm
Chicago, Terra Foundation for the Arts,
Daniel J. Terra Collection
cat. n° 31

John Leslie Breck
Yellow Fleurs-de-Lis, 1888
(Fleurs de lys jaunes)
huile sur toile, 45,4 x 55,6 cm
Chicago, Terra Foundation for the Arts,
Daniel J. Terra Collection
cat. n° 6

John Leslie Breck
Garden at Giverny (In Monet's Garden), vers 1887
(Jardin à Giverny [Dans le jardin de Monet])
huile sur toile, 46 x 55,6 cm
Chicago, Terra Foundation for the Arts,
Daniel J. Terra Collection
cat. n° 5

Louis Ritter
Willows and Stream, Giverny, 1887
(Saules et ruisseau, Giverny)
huile sur toile, 65,7 x 54,3 cm
Chicago, Terra Foundation for the Arts,
Daniel J. Terra Collection
cat. n° 34

Theodore Robinson
On the Cliff: A Girl Sewing, 1887
(Sur la falaise : une jeune femme cousant)
huile sur panneau, 23 x 30,6 cm
Lugano, Fondazione Thyssen-Bornemisza
cat. n° 35

Theodore Robinson
Giverny, vers 1889
huile sur toile, 40,6 x 55,9 cm
Washington, D.C., The Phillips Collection
cat. n° 36

Theodore Robinson
Moonlight, Giverny
(Clair de lune, Giverny)
huile sur toile, 38,1 x 55,2 cm
collection Graham Williford, en dépôt
au Dallas Museum of Art
cat. n° 40

Theodore Robinson
Capri, 1890
huile sur toile, 44,5 x 53,3 cm
Madrid, Collection Carmen Thyssen-Bornemisza,
en prêt au Museo Thyssen-Bornemisza, Madrid
cat. n° 37

Theodore Robinson
In the Garden, vers 1891
(Dans le jardin)
huile sur toile, 46 x 56 cm
Lugano, Fondazione Thyssen-Bornemisza
cat. n° 38

Mary Fairchild MacMonnies
Roses et lys, 1887
huile sur toile, 133,4 x 176,2 cm
Rouen, Musée des Beaux-Arts
cat. n° 29

Theodore Robinson
The Layette, 1892
(La layette)
huile sur toile, 147,6 x 92 cm
Washington, D.C.,The Corcoran Gallery of Art,
Museum Purchase and Gift of William A. Clark
cat. n° 39

John Henry Twachtman
Summer, fin des années 1890
(Eté)
huile sur toile, 76,2 x 134,6 cm
Washington, D.C., The Phillips Collection
cat. n° 53

John Henry Twachtman
Snow Scene, sans date
(Scène de neige)
huile sur toile, 41,8 x 51 cm
Madrid, Collection Carmen Thyssen-Bornemisza
cat. n° 52

Robert Vonnoh
A Sunlit Hillside, 1890
(Un coteau ensoleillé)
huile sur toile, 63,5 x 52,7 cm
New York, National Academy of Design
cat. n° 55

Robert Vonnoh
Study for « The Ring », 1891
(Etude pour « L'anneau »)
huile sur toile, 53 x 64 cm
New York, Berry-Hill Galleries
cat. n° 56

Childe Hassam
Bretonnes réparant les filets (Le Pouldu), 1897
huile sur toile, 46 x 61,5 cm
collection privée
cat. n° 24

Childe Hassam
The Jewel Box, Old Lyme, 1906
(La boîte à bijoux, Old Lyme)
huile sur toile , 50,8 x 61 cm
New York, National Academy of Design
cat. n° 25

Childe Hassam
L'Avenue des Alliés, 5ᵉ Avenue, New York, 1918
huile sur toile, 92 x 61 cm
Paris, Musée national d'art moderne/Centre de création
industrielle, Centre Georges Pompidou, en dépôt au Musée
National de la Coopération Franco-Américaine, Blérancourt
cat. n° 26

L'Avenue des Alliés, 5ᵉ Avenue, New York, 1918

Francis Brooks Chadwick
Rivière au printemps, sans date
huile sur toile, 65 x 93 cm
Paris, Musée d'Orsay
cat. n° 14

Robert Henri
La neige, 1899
huile sur toile, 65,5 x 81,5 cm
Paris, Musée d'Orsay, en dépôt au Musée National
de la Coopération Franco-Américaine, Blérancourt
cat. n° 27

Ernest Lawson
The Road, 1913
(La route)
huile sur toile, 51,4 x 61 cm
New York, Berry-Hill Galleries
cat. n° 28

Julian Alden Weir
The Building of the Dam, 1908
(La construction du barrage)
huile sur toile, 76 x 101,6 cm
The Cleveland Museum of Art,
Purchase from the J. H. Wade Fund
cat. n° 57

Julian Alden Weir
Nassau from the Garden, 1913
(Nassau depuis le jardin)
huile sur toile, 62,5 x 75 cm
New York, Berry-Hill Galleries
cat. n° 58

Henry Ossawa Tanner
The Seine, vers 1902
(La Seine)
huile sur toile, 22,8 x 33 cm
Washington, D.C., National Gallery of Art,
Gift of the Avalon Foundation
cat. n° 50

Leon Dabo
Moore Park, 1909
huile sur toile, 76 x 86,5 cm
Paris, Musée d'Orsay,
don de Stéphane Bourgeois, 1912
cat. n° 20

Robert Reid
Daffodils, sans date
(Jonquilles)
huile sur toile, 106,7 x 111,8 cm
New York, National Academy of Design
cat. n° 33

Edwin Scott
Boulevard, sans date
huile sur toile, 98,5 x 78,5 cm
Paris, Musée d'Orsay,
don de la veuve de l'artiste, 1933
cat. n° 48

Richard Emil Miller
La crinoline, 1904
huile sur toile, 116,2 x 81,2 cm
New York, Berry-Hill Galleries
cat. n° 32

Cecilia Beaux
Girl with Lyre (Portrait of Dorothea Gilder), 1905
(Jeune femme à la lyre [Portrait de Dorothea Gilder])
huile sur toile, 81,3 x 63,5 cm
New York, Berry-Hill Galleries
cat. n° 2

James Carroll Beckwith
Phoebe at Onteora, 1908
(Phoebe à Onteora)
huile sur panneau, 26 x 35 cm
New York, Berry-Hill Galleries
cat. n° 3

Frederick Frieseke
Resting, 1917
(Repos)
huile sur carton, 57,5 x 75 cm
New York, Berry-Hill Galleries
cat. n° 21

BIOGRAPHIES

Otto Henry Bacher (1856-1909)

Bacher naît à Cleveland, où il étudie la peinture et l'eau-forte. En 1878, il se rend à Munich pour compléter sa formation, puis suit les cours de son compatriote Frank Duveneck, avec lequel il voyage en Italie un an plus tard. L'été suivant, il part pour Venise en compagnie de Duveneck et de Robert Blum, où tous trois deviennent très proches de Whistler. Bacher partage avec ce dernier le logement ainsi qu'une presse d'imprimerie. Plus tard, il narrera cet épisode dans ses mémoires intitulés *With Whistler in Venice* (1908). L'ouvrage, qui relate les méthodes et les théories esthétiques de Whistler, est le témoignage direct d'une expérience vécue. Bacher rendra plusieurs fois visite à Whistler à Londres. Entre-temps, il sillonne l'Italie, mais ne retourne qu'une seule fois à Venise, pour un séjour de six mois en 1886. Il vit dans le Palazzo Contarini degli Scrigni sur le Grand Canal avec Blum, et peint des scènes de genre vénitiennes. Il regagne New York en 1888, où il achèvera sa carrière.

Bibliographie : Andrew, 1973

Cecilia Beaux (1855-1942)

Née à Philadelphie, Cecilia Beaux se voit encouragée dès son jeune âge à suivre ses inclinations artistiques et travaille dans l'atelier de sa cousine, Catherine Ann Drinker. A dix-huit ans, elle assume à son tour l'enseignement dispensé par sa parente dans l'école de Mme Sanford à Philadelphie. Elle est fortement influencée par Thomas Eakins et Whistler, comme en témoigne le style de ses premiers portraits. En 1885, elle remporte un prix grâce à l'un de ses portraits (*Les derniers jours d'enfance*), qu'elle présentera au Salon de 1887 à Paris. Une année plus tard, elle se rend dans la capitale française pour étudier à l'Académie Julian chez Bouguereau et Robert-Fleury, et passe ses vacances d'été en Bretagne, où elle entame des études de plein air. De retour à Philadelphie en 1889, elle reprend son activité de portraitiste, mais dans un style désormais plus libre et plus coloré, qui lui vaudra nombre de distinctions honorifiques tout au long de sa carrière. En 1896, elle rencontre Monet et Sargent au cours d'un second voyage en Europe. De 1895 à 1916, elle enseigne à la Pennsylvania Academy of the Fine Arts de Philadelphie, où elle est la première femme à occuper ce poste. Suite à un accident survenu en 1924, Beaux réduit sa production picturale pour se concentrer sur son autobiographie, *Background With Figures*, qu'elle publiera en 1930.

Bibliographie : Goodyear, 1974 ; Tappert, 1990 ; Tappert, 1995

James Carroll Beckwith (1852-1917)

Beckwith, tout comme Mark Twain, dont il peindra le portrait en 1890, naît à Hannibal, dans le Missouri, mais passe ses premières années à Chicago, où il suit les cours de l'Academy of Design. La ville ayant été ravagée par un grand incendie en 1871, il part pour New York, où il étudiera à la National Academy of Design durant deux années. En octobre 1873, il se rend à Paris, où il séjournera cinq ans. Après avoir fréquenté les ateliers de plusieurs maîtres, il opte pour celui de Carolus-Duran qui lui paraît le mieux répondre à ses aspirations. Il y tient le rôle de « massier », sorte de trésorier chargé de recueillir les cotisations servant aux dépenses communes, et s'acquitte de cette tâche jusqu'en mai 1874, au moment où Sargent est admis comme étudiant. Trois ans durant, ils partagent tous deux un atelier, échangent leurs points de vue, et collaborent avec Carolus-Duran dans divers projets, notamment la décoration du plafond du Palais du Luxembourg. En 1891, il séjourne à Giverny, où il se lie d'amitié avec la colonie américaine qui y réside. De retour à New York, il expose fréquemment, accepte de nombreuses commandes, notamment des décorations pour la World's Columbian Exposition de Chicago en 1893, et enseigne à l'Art Student's League, où il exercera cette fonction durant vingt-sept ans.

Bibliographie : Franchi et Weber, 1999-2000

Robert Blum (1857-1903)

Fils d'immigrants allemands, Blum naît à Cincinnati, dans l'Ohio. Apprenti dans une entreprise de gravure en 1873-1874, il s'intéresse au dessin et à l'illustration de magazines. Il s'inscrit dès lors à l'Art Academy de Cincinnati, mais l'événement qui marquera les débuts de sa vie artistique reste une visite à la Centennial Exposition à Philadelphie en 1876, où il est fasciné notamment par les œuvres d'art européennes et japonaises. Il séjourne neuf mois dans cette ville, où il étudie à la Pennsylvania Academy of the Fine Arts. En 1879, il s'établit à New York, où il est engagé par le *Scribner's Magazine* pour illustrer des articles, et subit l'influence de William Merritt Chase. C'est en 1880 qu'il met pour la première fois le cap sur l'Europe. Il rencontre Whistler à Venise, qui l'encourage à travailler le pastel, et voue un intérêt grandissant à l'esthétique japonaise. En outre, il commence à voyager fréquemment en compagnie de Chase, avec lequel il est cofondateur de la Society of Painters in Pastel. En mai 1890, il est envoyé par son éditeur au Japon pour illustrer le *Japonica* de Sir Edwin Arnold. Bien qu'il soit avant tout un pastelliste, il exécutera des commandes de grands décors muraux à New York avant de mourir prématurément d'une pneumonie.

Bibliographie : Boyle, 1966 ; Weber, 1985

John Leslie Breck (1860-1899)

Breck, dont le père était capitaine dans la marine américaine, est né en mer à bord d'un clipper dans le Pacifique Sud, au large de l'île de Guam. Il entame ses études artistiques à Boston dans un cadre traditionnel, mais élargit considérablement son horizon après avoir fréquenté l'Académie royale de Munich pendant trois ans, et complété sa formation à Anvers. Lors d'un second voyage en Europe, Breck se rend à Paris et s'inscrit à l'Académie Julian, chez Boulanger et Lefebvre. Mais l'événement majeur qui marque sa formation d'artiste se produit en 1887, lorsqu'il découvre Giverny, peut-être même sans savoir que Monet s'est établi là

quatre ans plus tôt. Transmettant son enthousiasme à ses compatriotes, il devient le catalyseur de la colonie d'artistes américains qui s'y installe. Il se lie d'amitié avec Monet, et demeurera cinq ans en sa compagnie. Ce séjour ne manque pas de façonner l'idéologie esthétique de Breck, qui délaissera la peinture tonale pour le pur impressionnisme. Il est certain que la fréquentation de Monet a fortement influencé l'œuvre de l'Américain : adoptant de plus en plus les idéaux impressionnistes, il réalise notamment des séries de peintures qui représentent le même sujet vu sous des éclairages différents. Mais en 1891, ses relations avec Monet se détériorent car il entretient une liaison avec Blanche Hoschedé, la belle-fille du peintre. Breck quitte alors Giverny pour l'Angleterre et l'Amérique. Il s'établira à Boston, où, comme Robinson, il mourra avant d'avoir quarante ans.

Bibliographie : Corbin, 1988

Dennis Miller Bunker (1861-1890)

Bunker commence ses études d'art dès l'adolescence à New York, d'abord à la National Academy of Design, puis de 1877 à 1879 à l'Art Students League, chez William Merritt Chase. En 1882, il se rend à Paris et s'inscrit à l'Ecole des beaux-arts, d'abord chez Ernest Hébert, puis dans l'atelier de Gérôme, où il progresse considérablement en dessin et dans la copie de la peinture académique française. L'été suivant, Bunker sillonne la France, dans l'idée de réaliser des croquis pittoresques pour les développer ensuite dans son atelier.

C'est ainsi qu'il s'éveille aux sensations atmosphériques et prend conscience de l'importance de la lumière pour comprendre et capter les effets naturels. Conformément à la formation académique de l'artiste, ces œuvres sont une synthèse entre le tonalisme de l'école de Munich et l'école de Barbizon, qui témoigne de l'influence de Corot. En 1884, il passe l'été dans la région de Larmor, sur la côte sud de la Bretagne. Sensibilisé à la lumière exceptionnelle qui règne en ces lieux, son style adhère de plus en plus à la peinture de plein air. De retour à New York en 1885, il enseigne et expose régulièrement, puis s'établit à Boston, où il rencontre certains des plus importants mécènes de la ville, dont Isabella Gardner et Sargent. En 1888, Bunker passe un été avec Sargent à Calcot Mill, près de Reading, où les tendances impressionnistes de ce dernier l'influencent considérablement. De retour à New York en 1889, il est submergé par les commandes. C'est alors qu'il connaît certains problèmes de vision, mais il est aidé par Chase et quelques autres. Terrassé par la grippe, il meurt le 28 décembre 1890 à l'âge de vingt-neuf ans, après avoir peint près de deux cent tableaux durant une carrière qui, comme celle de Van Gogh, ne devait durer qu'une décennie.

Bibliographie : Stebbins et Ferguson, 1978 ; Hirshler, 1994

Mary Cassatt (1844-1926)

Née dans une famille aisée de Pennsylvanie, Mary Cassatt grandit dans un milieu cultivé.

Partie pour l'Europe avec ses parents dès 1851, elle y restera cinq ans avant de regagner l'Amérique. De 1860 à 1865, elle étudie l'art à Philadelphie, puis se rend à Paris l'année suivante, où elle étudie avec Gérôme et Chaplin. Après plusieurs années en Amérique et en France, elle voyage à travers l'Europe avant de s'établir définitivement à Paris en 1875. C'est là qu'elle rencontre les futurs impressionnistes, avec lesquels elle exposera pour la première fois en 1879. Par la suite, elle se consacre assidûment à l'organisation de plusieurs expositions impressionnistes, puis collabore directement avec Durand-Ruel. Après avoir exposé une œuvre au Salon de 1874, qui avait attiré l'attention de Degas, elle rencontre ce dernier, qui orientera fortement ses prises de position stylistiques. Influencée par l'importation massive d'estampes japonaises en France, elle se tourne de plus en plus vers la gravure au cours des années 1890. Après avoir exposé avec succès en 1893 à la galerie Durand-Ruel, elle acquiert — grâce à la seule vente de ses œuvres — le château de Beaufresne dans l'Oise, près de Paris, où elle s'établira pour le restant de ses jours. Bien que vivant en France, elle jouera un rôle prépondérant dans la promotion de l'art impressionniste en Amérique, grâce à ses liens avec son frère Alexander, lui-même marchand de tableaux, ainsi qu'avec d'importants mécènes tels que Louisine Havemeyer, John Johnson, et d'autres.

Bibliographie: Sweet, 1966; Breeskin, 1970 et 1979; Lindsay, 1985

Francis Brooks Chadwick (1850-1943)

Peintre de paysage avant tout, Francis Brooks Chadwick étudie d'abord à Harvard, et en 1873, se rend à Paris. Il devient rapidement l'un des premiers amis américains de Sargent dans la capitale, si bien que son art finira par être complètement éclipsé par la carrière de ce dernier. Dès 1880, après avoir passé sept ans à Paris et travaillé principalement à des portraits, Chadwick recommande souvent à des compatriotes bostoniens — comme son ami de Harvard, Henry St. John Smith — de confier leur portrait à Sargent plutôt qu'à lui-même. Quand Ralph Wormeley Curtis, un ancien condisciple de Chadwick, arrive à Paris, il l'introduit auprès de son cousin, qui n'est autre que Sargent. En août 1880, ils partent tous les trois pour la Belgique et la Hollande pour étudier les œuvres de Frans Hals, qui exerceront une grande influence sur Sargent. C'est à cette époque que Sargent peint un petit portrait impromptu de Chadwick (Adelson Galleries, New York), qui rappelle dans sa spontanéité le portrait de Jacques-Emile Blanche. Si bon nombre des œuvres conservées de Chadwick sont des portraits, il aimait également traiter le paysage à la manière impressionniste. Mais il exécuta la plupart de ces tableaux pour lui, et les exposa rarement: sur les sept œuvres présentées aux Salons parisiens entre 1881 et 1892, seules deux sont des paysages.

William Merritt Chase (1849-1916)

Issu d'une famille de commerçants, Chase naît dans la ville frontière de Williamsburg (aujourd'hui Nineveh), en Indiana. Le jeune homme ne semble guère attiré par les arts visuels jusqu'à ce qu'il entame des études chez Barton Hays en 1867. Deux ans plus tard, il s'établit à New York, où il poursuit sa formation à la National Academy of Design. Ses camarades s'appellent Julian Alden Weir et Albert Pinkham Ryder. Par la suite, il se rend à Saint Louis, où il séduit les mécènes par ses natures mortes, qui témoignent de ses capacités techniques. En 1872, Chase se voit offrir par certains d'entre eux une bourse de deux ans pour aller étudier à Munich. A l'Académie royale, il travaille chez Alexander von Wagner, puis chez Karl von Piloty, qui lui commande même des portraits de ses enfants. En 1877, il se rend à Venise avec John Twachtman et Frank Duveneck, puis regagne New York en 1878, où il commence à enseigner à l'Art Students League. Plus tard, il fonde deux écoles, l'une à New York, l'autre à Shinnecock à Long Island, où il peindra ses œuvres les plus lumineuses. Chase sera considéré comme un artiste sans concessions, défiant l'autorité et l'esprit traditionnel de la National Academy of Design. Par ailleurs, il ne faut pas sous-estimer son rôle d'enseignant, car certains des fondateurs de l'art moderne américain, notamment Joseph Stella et Georgia O'Keefe, étudieront avec lui.

Bibliographie: Atkinson et Cikovsky, 1987; Gallati, 1995; Gallati, 2000

Charles Caryl Coleman (1840-1928)

Il existe peu de littérature sur Coleman. Il naît à Buffalo, dans l'état de New York, où il entame sa formation artistique. En 1859, il se rend à Paris, où il travaille avec d'autres Américains sous l'égide de Thomas Couture, puis descend à Florence pour étudier à l'Accademia Galli. Il y rencontre également le peintre symboliste Elihu Vedder, avec lequel il restera ami jusqu'à la fin de sa vie. En 1862, il regagne les Etats-Unis pour s'engager dans l'armée durant la guerre de Sécession, et sert en Caroline du Sud, où il est grièvement blessé. Réformé peu après, il retourne en Europe avec Vedder, travaillant d'abord en Bretagne, puis à Venise, et s'établit à Rome en 1866. Ne paraissant connaître aucun problème financier, il habitera successivement deux sites historiques de la Ville éternelle : en 1869, il loue un appartement à la Piazza di Spagna, précédemment occupé par le poète John Keats, puis séjourne de 1875 à 1879 dans le Palazzo Barberini à la via delle Quattro Fontane, durant son bref mariage avec une musicienne anglaise. En 1880, il acquiert une villa à Capri, où il s'installera définitivement en 1885.

Leon Scott Dabo (1868-1960)

On dispose de peu d'informations sur la vie de Dabo, car son œuvre n'a guère retenu l'attention. Né à Detroit, il entame une première formation avec son père, qui avait enseigné l'esthétique à Nantes, puis avec John La Farge. Il étudie principalement à Paris à l'Académie Julian et à l'Ecole des beaux-arts, mais travaille également à titre privé avec Puvis de Chavannes et le peintre espagnol Daniel Urrabieta y Vierge. En 1887, il voyage en Italie, mais c'est en 1888 que se produit

un événement déterminant pour sa carrière : s'étant rendu à Londres, il rencontre Whistler, dont il subira fortement l'influence. En 1890, il regagne New York, où il obtient des commandes pour des décorations et des peintures murales de grandes dimensions. Ses tableaux sont essentiellement des paysages, souvent inspirés des techniques impressionnistes et whistlériennes. En 1905, il commence à exposer à New York, et joue un rôle actif au sein du groupe qui organise le célèbre Armory Show de 1913. Bien qu'il peigne fréquemment des scènes new-yorkaises, il travaille souvent à Paris, où l'on reconnaîtra ses talents en lui décernant le titre de chevalier de la Légion d'honneur en 1934.

Bibliographie : Graham Gallery, New York, 1962

Frederick Carl Frieseke (1874-1939)

Frieseke naît dans le village d'Owosso dans le Michigan. En 1894, il entame ses études à l'Art Institute de Chicago, puis fréquente l'Art Students League de New York l'année suivante. En 1898, il se rend à Paris et s'inscrit à l'Académie Julian chez Laurens et Benjamin-Constant, tout en prenant des leçons avec Whistler, dans son école privée durant une brève période. C'est à la même époque qu'il découvre Giverny, où il effectuera des séjours les étés suivants. Vers le tournant du siècle, il présente ses œuvres à Paris et trouve des acheteurs, ce qui lui confère une certaine indépendance ainsi que les moyens financiers suffisants pour poursuivre son art. Se consacrant pleinement à la

manière impressionniste, il achète en 1906 une maison à Giverny près de celle de Monet, où Theodore Robinson a habité précédemment. Mais rien n'indique que Frieseke soit devenu par la suite un ami intime de Monet. Influencé tout autant par Renoir que par ce dernier, il peint plutôt des figures que des paysages, contrairement à bon nombre de ses collègues. Demeuré en France la majeure partie de sa vie, il s'établira en 1919 au Mesnil-sur-Blangy en Normandie, où il mourra et sera enterré.

Bibliographie : Kilmer, 2001

Walter Gay (1856-1937)

Gay débute sa carrière comme peintre de fleurs à Boston, où il exercera ses activités jusqu'en 1876. En avril de cette même année, il se rend à Paris, où il étudiera durant trois ans chez Léon Bonnat. Il gagne les faveurs de son professeur, qui le considère comme l'une de ses meilleures recrues. D'ailleurs, une de ses études sur le vif restera accrochée au mur de l'atelier durant des années — insigne honneur, auquel aucun autre élève n'aura droit. En 1879, il se rend en Espagne, où il découvre Vélasquez. Ce sera pour lui une véritable révélation, et l'on ressent fortement cette influence dans sa première exposition au Salon de cette année-là. En 1880, il partage un atelier avec trois autres Américains, boulevard de Clichy. A l'époque, son œuvre ne s'inspire pas seulement de Bonnat, mais aussi des petites scènes néo-rococo de Fortuny, dont les collectionneurs sont particulièrement friands. Le style de Gay, qui connaît un tournant radical lorsque le peintre se rend en Bretagne en 1884, prend un tour plus naturaliste pour évoquer la vie et le cadre des habitants de la contrée. Les œuvres de cette période font écho à Bastien-Lepage, sans la sentimentalité de ce dernier. La touche se veut plus hardie et les surfaces peintes se rapprochent davantage des prises de position impressionnistes, même si l'artiste ne se rallie jamais entièrement au mouvement. Ces travaux, également bien accueillis dans les Salons, sont acquis par des collectionneurs qui apprécient en eux tout à la fois le raffinement du dessin, la solidité de la composition et l'ampleur de la technique impressionniste. Grâce au succès remporté par ces tableaux, Gay devient célèbre et utilise sa fortune pour acheter des peintures de maîtres anciens, des dessins et des objets d'art décoratif, dont la plupart seront donnés au Louvre en 1938 par la veuve de l'artiste.

Bibliographie : Reynolds, 1980

Lowell Birge Harrison (1854-1929)

Né à Philadelphie, Harrison reçoit sa première formation artistique à la Pennsylvania Academy of the Fine Arts, chez Thomas Eakins. Durant la Centennial Exposition de 1876, il rencontre Sargent, qui, après avoir examiné son travail, lui conseille d'aller étudier à Paris, chez son maître Carolus-Duran. Dès lors, Harrison quitte l'Amérique pour s'inscrire chez ce dernier en août 1877. Il est accompagné de son frère Thomas Alexander, lui aussi peintre, qui ira étudier chez Gérôme. En 1878, il suit les cours de

Cabanel à l'Ecole des beaux-arts. Au début des années 1880, la maladie l'empêche de peindre, mais par la suite, il travaillera chaque été à Pont-Aven, Concarneau et Giverny. Tout en admirant la liberté des impressionnistes, Harrison n'utilisera jamais les mêmes couleurs brillantes ni la touche agressive commune à tous ses collègues français, et sa démarche fera écho à Millet plutôt qu'à Monet. Il effectue également de grands voyages, notamment en Inde, en Australie, en Afrique et en Asie, durant lesquels il fournit des illustrations au *Harper's Magazine*. Bien que ses premières peintures soient d'une approche très naturaliste, les travaux qu'il réalise notamment en Bretagne et en Normandie révèlent plus franchement le travail en plein air, même si, comme bon nombre d'impressionnistes américains, il voit toujours dans le dessin un aspect fondamental de l'art. En Amérique, il exercera une grande influence comme directeur de l'Art Students League, où ses options libérales seront appréciées des plus jeunes.

Frederick Childe Hassam (1859-1935)

A l'âge de seize ans, Hassam suit un apprentissage chez un graveur sur bois dans sa ville natale de Dorchester, dans le Massachusetts, et commence peu après une carrière d'illustrateur indépendant. Le soir, il étudie au Boston Art Club chez William Rimmer, et à titre privé chez l'émigré allemand Ignaz Gaugengigl, surnommé le Meissonnier américain en raison de ses petites scènes de genre d'une grande précision. En 1883, Hassam voyage en Angleterre, en Hollande, en

Espagne et en Italie, où il exécute un grand nombre d'aquarelles, qu'il exposera à Boston dès son retour. En 1886, Hassam se rend à Paris, où il étudie chez Boulanger et Lefebvre, exposant des œuvres aux Salons de 1887 et 1888. Puis il gagne New York, où il expose régulièrement. S'il passe ses étés à peindre dans des sites en vogue de la Nouvelle-Angleterre, il réalise également des dizaines de vues de villes, dont Boston, New York et Paris. Soutenu par de riches amateurs, il figure dans d'importantes collections des musées de la côte Est. Il est également représenté au célèbre Armory Show de 1913, où il expose, parmi les tableaux les plus modernes d'Europe, six huiles, cinq pastels et un dessin. Témoignant d'un réel intérêt pour ses collègues américains, il lègue avant de mourir tous les travaux se trouvant dans son atelier à l'American Academy of Arts. Ils seront vendus dans le but de créer un fonds pour acquérir des œuvres d'art américaines destinées aux grands musées.

Bibliographie : Buckley, 1965 ; Curry, 1990 ; Hiesenger, 1994

Robert Henri (1865-1929)

Parmi les peintres américains de cette période, la biographie de Henri est l'une des plus hautes en couleur. Il naît sous le nom de Robert Henry Cozad, mais sa famille change de patronyme en 1881, après que son père, joueur professionnel, eut été inculpé pour meurtre. En 1886, Henri s'inscrit à la Pennsylvania Academy of the Fine Arts de Philadelphie, où il suit les cours de Thomas

Anshutz et Thomas Hovenden. Deux ans plus tard, il se rend à Paris pour étudier à l'Académie Julian, dans les ateliers de Bouguereau et Robert-Fleury, jusqu'à ce qu'il soit admis à l'Ecole des beaux-arts en 1891. Durant les étés, il peint en Bretagne et à Barbizon. Après un séjour en Italie, il regagne Philadelphie en 1892, où il travaille chez Robert Vonnoh. Il continue d'effectuer des voyages réguliers à Paris, où il est influencé par les travaux de Manet. Renonçant dès lors aux premiers concepts impressionnistes, il opte pour des sujets réalistes, qu'il exécute dans un style pictural particulièrement audacieux. La renommée de Henri s'étend d'autant plus qu'il organise des expositions indépendantes, dont la plus importante concerne un ensemble d'artistes appelés The Eight, comprenant Henri lui-même ainsi que sept autres peintres exclus d'une exposition de la National Academy of Design en 1908. Le groupe constituera l'un des germes d'un mouvement réaliste américain qui s'incarnera dans les œuvres d'amis et collègues tels que John Sloan, William Glackens, George Luks et d'autres. Henri jouera également un rôle important comme professeur, que ce soit aux côtés de Chase ou par lui-même: dirigeant de jeunes artistes réalistes tels qu'Edward Hopper, il prônera toujours la créativité et le modernisme dans les arts, notamment avec des élèves comme Man Ray ou Stuart Davis, mais aussi, curieusement, Léon Trotski, qui fera un bref passage chez lui avant de regagner la Russie en 1917.

Bibliographie: Homer, 1969; Perlman, 1991

Ernest Lawson (1873-1939)

Bien qu'il soit né au Canada, Lawson passe sa jeunesse à Kansas City, où il travaille pour un créateur de tissus tout en étudiant à l'institut des beaux-arts de la ville. En 1891, il se rend à New York pour travailler à l'Art Students League chez les peintres Twachtman et Weir. L'année suivante, il fréquente leur école d'été à Cos Cob, dans le Connecticut, séjour qui influencera décisivement toute sa carrière. En 1893, Lawson se rend à Paris et s'inscrit à l'Académie Julian, chez Laurens et Benjamin-Constant. Il partage alors un atelier avec l'écrivain américain Somerset Maugham. Plus tard dans la même année, il déménage dans le petit village de Moret-sur-Loing, près de Fontainebleau, où il rencontre Sisley, auprès duquel il peaufine sa formation. En 1891, il présente deux de ses peintures impressionnistes au Salon, qui sont bien accueillies par la critique. En 1898, Lawson s'établit à New York, et durant les quinze années suivantes, il peint essentiellement des scènes urbaines le long de la Harlem River. Le peintre réaliste William Glackens, avec lequel il s'était lié d'amitié, l'introduira par la suite dans le groupe avant-gardiste The Eight, qui s'oppose à la rigidité du système académique. Les tableaux de Lawson seront acquis par certains des plus grands collectionneurs américains, notamment Duncan Phillips, Albert Barnes et John Quinn. Mais l'artiste verra ses dernières années assombries par la maladie et l'alcool, ainsi que par le déclin des ventes de ses œuvres.

Bibliographie: Karpiscak, 1979; Phillips, 1917

Mary Fairchild MacMonnies (1858-1946)

Née à New Haven, dans le Connecticut, Mary MacMonnies descend des premiers colons du Mayflower. Tout comme Richard Emil Miller, elle reçoit une première formation artistique à Saint Louis, après le déménagement de ses parents dans cette ville. En 1885, elle obtient une bourse de trois ans pour aller étudier en France, mais comme les classes de l'Ecole des beaux-arts ne seront pas ouvertes aux femmes avant 1896, elle s'inscrit à l'Académie Julian. Elle commence à exposer l'année suivante et découvre la peinture de plein air en Picardie et à Barbizon. En 1888, elle fréquente également l'atelier de Carolus-Duran, puis épouse l'éminent sculpteur américain Frederick MacMonnies. Menant grand train à Paris, ils voient souvent Whistler, dont ils apprécient la compagnie. Leur voisine s'appelle Isadora Duncan, à laquelle il arrive de danser nue dans le jardin. Le travail de Mary MacMonnies connaîtra un immense succès en Amérique, à la suite de la Columbian Exposition de Chicago en 1893, pour laquelle on lui a commandé une grande fresque, *Femme primitive* (*Primitive Woman*), qui fera pendant à *Femme moderne* (*Modern Woman*) de Mary Cassatt (aucune des deux œuvres n'a été retrouvée). Par la suite, elle passe l'été à Giverny jusqu'en 1898, où elle fait l'acquisition d'une propriété. C'est là qu'elle peint des dizaines de paysages ainsi que diverses scènes avec sa fille Berthe. Elle expose régulièrement dans les Salons de Paris de 1886 à 1907. Lorsque son mari la quitte en 1908 pour l'une de ses élèves, elle décide de ne plus porter son nom. L'année suivante, elle épouse en secondes noces le peintre Will Low et regagne l'Amérique avec lui.

Bibliographie: Gordon, 1988; Robinson, 2000-2001

Willard Leroy Metcalf (1858-1925)

Metcalf, tout comme Whistler, naît à Lowell, dans le Massachusetts. En 1877, il débute ses études à Boston, où il est l'un des premiers boursiers à la Museum of Fine Arts School. Au début des années 1880, il est envoyé par le *Harper's Magazine* dans le sud-ouest des Etats-Unis pour illustrer des articles sur les indiens Zuni. Durant les vingt années suivantes, une partie de ses revenus proviendra de ces mandats. Metcalf s'embarque pour l'Europe en 1883 et s'inscrit à l'Académie Julian chez Boulanger et Lefebvre. En 1884, il passe l'été à Pont-Aven, et à Grèz-sur-Loing — que fréquente également Robinson —, où il peint le paysage dans un style évoquant les débuts de Barbizon. En 1885, il fait partie de la première vague d'Américains à s'installer à Giverny, et l'année suivante, il entre en relation avec Monet. Il séjourne en ces lieux durant les étés 1887 et 1888, perfectionnant un style de plus en plus associé aux idéaux impressionnistes, sans s'y consacrer entièrement pour autant. De retour en Amérique en 1889, Metcalf enseigne à l'Art Students League. En 1902, il visite Cuba, où il est spécialement frappé par la lumière tropicale. Il se sent dès lors davantage attiré par l'impressionnisme, auquel il adhérera jusqu'à la fin de sa vie. En 1907, il se voit décerner la première médaille d'or par la Corcoran Gallery of

Art pour sa peinture *May Night* (*Nuit de mai*). Il meurt des suites d'un alcoolisme chronique.

Bibliographie: Murphy, 1976; De Veer et Boyle, 1987

Richard Emil Miller (1875-1943)

Né à Saint Louis, Miller suit une formation pendant cinq ans à la Saint Louis School of Fine Arts. En 1898, il est le premier à recevoir une bourse de cette institution pour aller étudier en France, et s'inscrit à l'Académie Julian, chez Laurens et Benjamin-Constant. A partir de 1900, Miller présente chaque année ses œuvres au Salon de Paris, et se voit décerner des médailles, dont — suprême récompense — la Légion d'honneur en 1906. Au cours des vacances d'été de 1905, il commence à peindre à Saint-Jean-du-Doigt en Bretagne, puis à Giverny, où il organise des ateliers de plein air. Par la suite, il se lie étroitement d'amitié avec Frieseke. Comme lui, il est particulièrement intéressé par le corps humain et les éléments décoratifs de la nature, qui restent ses sujets préférés. Au début du XXᵉ siècle, les deux artistes résident ensemble à Giverny, où Miller enseigne durant les mois d'été. C'est seulement après 1905 que Miller s'adonne à la peinture de plein air. Bon nombre de ses œuvres antérieures traitent de la vie nocturne à Paris, en écho à la tradition réaliste de Manet et Degas. L'artiste regagnera l'Amérique au cours de la Première Guerre mondiale.

Bibliographie: Ball et Gottschalk, 1968

Robert Reid (1862-1929)

Né à Stockbridge, dans le Massachusetts, Reid entame sa formation artistique à la Museum of Fine Arts School de Boston en 1880, avant de s'installer à New York, où il travaille à l'Art Students League. En 1886, il se rend à Paris, où il étudie à l'Académie Julian. A cette époque, il commence également à exposer au Salon, où la critique est assez élogieuse à son égard. De retour à New York en 1889, il ouvre un atelier de portrait et enseigne dans diverses écoles locales. Il devient membre d'un groupe d'orientation impressionniste, les Ten American Painters, qui s'est constitué à New York en 1897. La plupart de ses œuvres sont cependant des grandes décorations murales, qui témoignent généralement d'un style très conservateur. Bon nombre d'entre elles seront malheureusement détruites, ce qui ne permet guère d'évaluer l'importance du style et de l'influence de l'artiste.

Bibliographie: Weinberg, 1975
Kilmer, 2001

Louis Ritter (1854-1892)

Ritter est l'un des impressionnistes américains dont le parcours est le moins connu. Issu du Middle West, il reçoit sa première formation à Cincinnati en 1873-1874. En 1878, il se rend à Munich pour s'inscrire à l'Académie royale, qu'il fréquente en même temps qu'un autre artiste de Cincinnati, Frank Duveneck. Ritter connaît un vif succès dans la capitale bavaroise, remporte plusieurs récompenses, dont une médaille d'argent pour le dessin de figure, puis suit Duveneck à Florence. De retour en Amérique, il expose des œuvres réalisées en Europe, mais certaines critiques défavorables l'incitent à déménager à Boston. Il y rencontre Metcalf avec lequel il se lie d'amitié. En 1886, il part pour Paris et s'inscrit à l'Académie Julian. L'année suivante, il voyage dans la vallée de la Seine avec Metcalf, et sera l'un des premiers Américains à découvrir le village de Giverny. Mais il n'y restera qu'un été, rejoignant une fois encore Duveneck à Florence avant de regagner Boston en 1890. C'est là qu'il mourra deux ans plus tard, à l'âge de trente-sept ans.

Bibliographie : Gerdts, 1992

Theodore Robinson (1852-1896)

Robinson est attiré par l'art dès son plus jeune âge. Lorsque sa famille quitte sa maison du Vermont pour s'établir dans le Wisconsin, il étudie à l'Academy of Design de Chicago. Afin de soulager un asthme chronique qui l'affligera toute sa vie, il quitte Chicago l'année suivante et profite de l'air de la montagne à Denver. Après s'être rétabli en 1874, il se rend à New York et s'inscrit à la National Academy of Design. Deux ans plus tard, il complète sa formation à Paris en travaillant chez Carolus-Duran, Lehmann et Gérôme, puis expose une œuvre au Salon de 1877. Il passe ses étés à Grèz-sur-Loing, où il rencontre Robert Louis Stevenson, et pousse jusqu'à Venise, où il fait la connaissance de Whistler. De retour à New York en 1879, il subvient à ses besoins en donnant des leçons

d'art et collabore avec John La Farge à la réalisation des fresques décoratives qui ont été commandées à ce dernier pour divers bâtiments publics. En 1884, Robinson s'installe à Paris, puis travaille avec Monet à Giverny de 1888 à 1891. Après y avoir effectué de nombreux séjours, à l'instar de ses compatriotes, il regagne définitivement New York en 1892. C'est seulement à cette époque qu'il organise une exposition personnelle, où ses œuvres impressionnistes sont généralement bien accueillies. Après une crise d'asthme aiguë en février 1896, Robinson meurt dans la misère à l'âge de quarante-quatre ans.

Bibliographie : Baur, 1946 ; Johnston, 1973 ; Clark, 1979

John Singer Sargent (1856-1925)

Bien que Sargent soit le peintre américain le plus célèbre à la fin du XIXe siècle, il ne foule pas le sol des Etats-Unis avant l'âge de vingt ans. Né dans une famille expatriée à Florence, il entame à douze ans une première formation artistique à Rome, et complète ses études de 1870 à 1873 à l'Accademia delle Belle Arti de Florence. En 1874, il part pour Paris, où il s'inscrit chez Carolus-Duran, puis à l'Ecole des beaux-arts. Il commence à exposer dans les Salons dès 1877, et les années suivantes, il effectue de nombreux voyages (Espagne, Italie, Belgique, Hollande), qui élargissent considérablement son horizon artistique. Tandis que son œuvre est à cette époque centrée sur le mouvement réaliste et parfois même l'impressionnisme, la réputation

de Sargent repose essentiellement sur le portrait, tel le fameux *Portrait de Madame Gautreau*, dont le rendu audacieux fait scandale au Salon de 1884. Se sentant obligé de quitter la France, Sargent part pour Londres, où il s'établira définitivement. En 1887, il se rend à Giverny, où il fréquente Monet, avec lequel il se lie d'amitié. Son intérêt pour la peinture française se manifeste tout particulièrement en 1889 : il soutient aux côtés de Monet la collecte lancée par les Musées nationaux français en faveur de l'achat de l'*Olympia* de Manet, à laquelle il contribue pour la somme de 1000 francs. A la fin des années 1890, Sargent, élu académicien à la Royal Academy ainsi qu'à la National Academy of Design, et décoré de la Légion d'honneur, est considéré comme le portraitiste le plus recherché des deux côtés de l'Atlantique (il est célébré comme le Van Dyck de son temps). Bien qu'il ait continué de s'adonner à ce genre, il étend ses activités à d'autres domaines, notamment aux aquarelles de paysage, qui comptent parmi les plus raffinées de l'époque, ainsi qu'aux peintures murales, dont celles de Boston montrent toute l'étendue de ses talents de décorateur. Sargent entretiendra une relation privilégiée avec la Suisse, non seulement au travers des nombreux voyages qu'il y effectue, mais aussi parce qu'en 1891, sa sœur Violet, qui a épousé (Louis) Francis Ormond, s'installe à Vevey.

Bibliographie : Ormond, 1970 ; Hills et al., 1986 ; Olson, 1986 ; Adelson et al., 1986 ; Ormond et Kilmurray, 1998

Frank Edwin Scott (1863-1929)

De tous les impressionnistes Américains présents dans cette exposition, aucun n'est plus insaisissable que Scott. Bien que l'on sache avec certitude qu'il est né à Buffalo, dans l'état de New York, aucun document ne nous renseigne sur ses débuts en peinture ou sa formation artistique. On ne sait pas non plus à quelle date il se rend à Paris, ni — en supposant qu'il ait voulu étudier en France — dans quel atelier il travaille. Quoiqu'il en soit, Scott semble avoir développé assez tôt ses talents artistiques à Paris, se spécialisant dans les paysages urbains, et plus particulièrement les rues, dont il peint d'innombrables variations. L'un de ses sujets favoris est le quartier de Saint-Germain-des-Prés, qu'il représente sous des angles variés et dans différentes conditions atmosphériques, y compris sous la pluie. Comme Bacher, il est particulièrement attiré par la lumière et l'atmosphère de Venise, où il réalise durant sa carrière plusieurs tableaux. Les œuvres qu'il expose aux Salons parisiens sont à peine mentionnées par la critique. Il meurt à Paris, où il a passé la plus grande partie de sa vie.

Edward Emerson Simmons (1852-1931)

Né à Concord, dans le Massachusetts, Simmons est le neveu de l'éminent philosophe et essayiste Ralph Waldo Emerson — d'où le second prénom de l'artiste —, et a également des liens de parenté avec Henry David Thoreau. Il habite une demeure légendaire, The Old Manse, où non seulement Emerson a vécu, mais aussi l'écrivain Nathaniel Hawthorne. Il commence par étu-

dier à Boston. Sur les conseils de Frank Duveneck, originaire de Cincinnati, il se rend à Paris en 1879, où il s'inscrit à l'Académie Julian, puis à l'Ecole des beaux-arts. Influencé par son ami Whistler, il est le premier Américain à s'établir à Concarneau, où il demeurera de 1881 à 1886. En 1880, Blanche Willis Howard publie un roman intitulé *Guenn*, inspiré par les expériences de Simmons à Concarneau. Dès lors, d'autres artistes américains, qui ont lu le livre, affluent vers la côte bretonne. Simmons voyage en outre régulièrement, souvent en compagnie de Theodore Robinson. Après Concarneau, il s'établit à Saint-Yves, en Cornouaille, où son style prend désormais des libertés par rapport à la manière impressionniste. En 1891, il regagne l'Amérique après avoir accepté des commandes de vitraux pour l'Université de Harvard, qui seront exposés aux côtés de travaux de Louis Comfort Tiffany avant d'être installés à Boston, ainsi que des projets de décorations murales pour la Columbian Exposition de 1893 à Chicago. Membre fondateur du groupe des Ten American Painters, il présente régulièrement ses œuvres en leur compagnie, jusqu'à leur dernière exposition en 1917. Invité par Childe Hassam, il passe de nombreux étés à Old Lyme, dans le Connecticut. Par la suite, il renoncera peu à peu à la peinture de chevalet, reprochant à ses mécènes leur désintérêt pour son travail, et leur manière cavalière de suspendre ses œuvres sans se soucier de l'éclairage.

Bibliographie: Simmons, 1976; Pierce, 1976

Henry Ossawa Tanner (1859-1937)

Fils d'esclave, Tanner est l'un des rares artistes afro-américains du XIXe siècle qui ait connu le succès. Il entame sa véritable formation artistique en 1879, lorsqu'il s'inscrit à la Pennsylvannia Academy of the Fine Arts de Philadelphie, où il suit les cours de Thomas Eakins. Il séjournera périodiquement dans cette ville jusqu'en 1885. Après plusieurs expériences malheureuses, notamment l'ouverture d'un atelier de photographie à Atlanta, il se rend à Paris en 1891, et s'inscrit à l'Académie Julian, où il étudie chez Benjamin-Constant et Laurens. Il passe ses étés à dessiner à Pont-Aven et à Concarneau. De retour en Amérique, il parvient à vendre plusieurs œuvres, et met à profit ce revenu pour s'établir de nouveau à Paris en 1895, où il demeurera jusqu'en 1905. Il présente diverses œuvres aux Salons parisiens, et envoie également des tableaux aux Etats-Unis, qui sont très bien accueillis. Durant la Première Guerre mondiale, Tanner délaisse un moment la peinture pour travailler à la Croix-Rouge américaine. Par la suite, il se spécialisera dans les sujets religieux, qui lui vaudront un succès considérable. En 1923, il est décoré de la Légion d'honneur.

Bibliographie: Mathews, 1969; Mosby, 1991; Mosby, 1995

Alfred Wordsworth Thompson (1840-1896)

Né à Baltimore, Thompson, comme Winslow Homer, débute sa carrière en faisant des illustrations pour le *Harper's Weekly Magazine* et l'*Illustrated London News*. En 1862, il se rend à Paris afin de poursuivre sa formation artistique, et étudie tout d'abord dans l'atelier de Charles Gleyre. Cherchant à élargir ses connaissances, il suit également des cours auprès du peintre de paysage Lambinet, du peintre d'histoire Yvon et du sculpteur Barye, et fréquente pendant une année l'Ecole des arts décoratifs. Parmi les Américains séjournant à Paris, Il est l'un des premiers à s'ouvrir à la peinture de plein air, sous l'influence directe des peintres de Barbizon dont il se réclame esthétiquement. Bien qu'attiré par le paysage et le travail sur le motif, Thompson n'abandonne jamais complètement la peinture de figures; ce sont même ses compositions historiques qui font son renom lorsqu'il s'établit à New York en 1868. Il acquiert une certaine notoriété avec le tableau *Désolation* (*Desolation*), qui le fait entrer comme membre associé à la National Academy of Design (il deviendra deux ans plus tard académicien à part entière). L'œuvre de Thompson incarne pour l'essentiel une phase transitionnelle entre les paysages aériens de la Hudson River School, et l'intérêt marqué de la peinture de plein air pour la lumière, l'atmosphère, et les couleurs franches des impressionnistes. Ces composantes sont particulièrement évidentes dans ses paysages tardifs où dominent les plages de couleurs pures, appliquées parfois d'un pinceau rapide.

Bibl. : Weinberg, 1991

John Twachtman (1853-1902)

Le père de Twachtman, un immigrant allemand décorateur de stores, initie son fils à des occupations artistiques dès son plus jeune âge. A quatorze ans, le jeune Twachtman reprend les affaires de son père. En même temps, il s'inscrit à des cours d'art à Cincinnati, chez Frank Duveneck, formé à l'école de Munich. Ce dernier, qui, bien que de quelques années seulement l'aîné de Twachtman, a déjà connu de grands succès, le prendra par la suite dans son atelier et lui proposera de l'emmener en Europe. En 1875, Twachtman poursuit sa formation à Munich, se rend à Venise en compagnie de William Merritt Chase, puis regagne l'Amérique en 1878. L'année suivante, il revient en Europe pour travailler avec Duveneck à Florence. Il y rencontre John Alden Weir, avec lequel il voyage. De 1883 à 1885, il étudie à l'Académie Julian chez Boulanger et Lefebvre, et passe ses étés à peindre dans la campagne normande, où sa palette s'éclaircit considérablement. C'est probablement à cette époque qu'il se familiarise avec l'œuvre de Whistler, dont l'influence guidera sa démarche artistique jusqu'à la fin de sa vie. En 1886, Twachtman rentre en Amérique et achète une ferme dans le Connecticut, où il réalisera bon nombre de ses œuvres majeures. Il consacre ses dernières années à des paysages poétiques, surtout des scènes de neige, où il intègre les harmonies musicales des compositions de Whistler.

Bibliographie : Hale, 1957 ; Chotner et al., 1989 ; Peters, 1995

Eugene Lawrence Vail (1857-1934)

Vail est un cas unique de l'art franco-américain : s'il est américain du côté de son père, il naît d'une mère française à Saint-Servan en Bretagne. Il sera essentiellement éduqué à Paris et à New York. Après avoir été obligé par son père à suivre des études pratiques, il remporte avant vingt ans un diplôme d'ingénieur mécanicien. Puis il s'engage dans l'armée, et durant une expédition à l'Ouest, dessine des paysages, des portraits de sa compagnie, ainsi que les indiens qu'il rencontre. Cette expérience l'ayant incité à prendre des cours d'art, il s'inscrit à l'Art Students League, en même temps que Beckwith et Chase. En 1882, il poursuit ses études à Paris à l'Ecole des beaux-arts dans l'atelier de Cabanel, mais décide bientôt de se rendre à Pont-Aven et Concarneau pour compléter sa formation de manière indépendante. Tout comme Walter Gay, il est attiré par la vie rurale en Bretagne, qu'il peint sur le mode naturaliste. Ces œuvres lui vaudront une solide réputation auprès des mécènes et des musées, ainsi que la Légion d'honneur en 1894. C'est vers cette époque et après un long séjour à Venise qu'il commence à libérer sa palette, réalisant toute une variété de paysages à la manière impressionniste.

Bibliographie : Cann, 1937

Robert Vonnoh (1858-1933)

Né à Hartford dans le Connecticut, Vonnoh débute ses études à la Massachusetts Normal School en 1875, puis enseigne l'art industriel et le dessin d'architecture dans diverses écoles d'art jusqu'en 1881, année où il se rend à Paris. Il s'inscrit alors à l'Académie Julian chez Gustave Boulanger et Jules Lefebvre, où il réalise une étude ou une figure en pied par semaine. Ses premières œuvres sont des portraits, où il semble avoir excellé. Il en peindra effectivement plus de 500 tout au long de sa carrière. En 1885, Vonnoh obtient un poste d'enseignant à la Museum of Fine Arts School de Boston, où il établit un programme semblable à celui qu'il a suivi à Paris, et initie ses étudiants à l'impressionnisme. En 1887, il s'installe à Grèz-sur-Loing, près de Fontainebleau, pour se concentrer sur la peinture de plein air. Devenu un fervent impressionniste, il opte pour une palette extrêmement colorée et une touche vibrante. Ses sujets favoris sont les parterres de fleurs, qu'il peint en plan rapproché, à la manière virtuose de Monet. Par la suite, son style évolue, intégrant davantage de figures et de paysages — réminiscence de Pissarro, dont il admire également l'œuvre. En 1891, il regagne l'Amérique, et enseigne à la Pennsylvania Academy of the Fine Arts de Philadelphie, où il encourage l'expérimentation chez ses étudiants, notamment Robert Henri et William Glackens. Il continuera dans ses dernières années d'approfondir ses recherches dans la peinture impressionniste, partageant son temps entre New York et la France.

Bibliographie: Hill, 1987

Julian Alden Weir (1852-1919)

Weir commence sa carrière sous la houlette de son père, Robert Walter Weir (1803-1889), qui restera à la tête de l'enseignement du dessin et de la peinture à la United States Military Academy de West Point durant quarante-deux ans. En 1870, il poursuit ses études à New York. En 1873, il se rend à Paris, où il s'inscrit à l'Ecole des beaux-arts chez Gérôme, puis chez Boulanger. Il passe ses étés à Pont-Aven et commence à s'intéresser à la peinture de paysage. Il expose ses premières œuvres à Paris au Salon de 1876, et regagne New York l'année suivante. Malgré une formation résolument académique, il est attiré par l'avant-garde, notamment dans ses évocations de paysages et de la vie moderne — intérêt qui lui vient de Manet, qu'il rencontrera en 1881. Parallèlement à ses activités de peintre, il est engagé par le collectionneur new-yorkais Erwin Davis pour lui acheter des tableaux modernes. C'est ainsi qu'il fait l'acquisition de diverses œuvres de Manet, qui seront données par la suite au Metropolitan Museum of Art. Ses principales peintures impressionnistes seront réalisées au cours des trente dernières années de sa vie.

Bibliographie: Flint, 1972; Burke, 1983; Cummings et al., 1991

Irving Ramsey Wiles (1861-1948)

Né d'un père portraitiste, Lemuel Maynard Wiles (1826-1905), à Utica dans l'état de New York, il entame sa formation artistique sous l'égide de ce dernier, qui l'initie au genre du portrait. En 1881, il se rend à New York pour étudier à l'Art Students League en même temps que J. Carroll Beckwith et William Merritt Chase. Chase, avec lequel il se lie d'amitié, deviendra son mentor et exercera sur lui une influence prépondérante. En 1883, il part pour Paris et s'inscrit tout d'abord à l'Académie Julian, puis à titre privé chez Carolus Duran. De retour en Amérique l'année suivante, il enseigne avec Chase et expose régulièrement, mais complète ses revenus en illustrant des magazines. Il gagne sa vie en exécutant toutes sortes de commandes de portraits importants, dont ceux à l'huile le rendront particulièrement célèbre. Son style porte fortement l'empreinte de Chase, mais aussi celles de Sargent et de Whistler. Cependant, lorsqu'il passe l'été dans sa villa de Peconic à Long Island, en face de la baie de Shinnecock où Chase possède une maison, il peint de nombreuses petites études pour lui-même à la manière impressionniste, se concentrant sur les effets de lumière et d'ombre.

Bibliographie: Reynolds, 1988

LISTE DES ŒUVRES

Otto Henry Bacher (1856 – 1909)
1 *Doge's Palace from the Lagoon*, 1880
(Le Palais des Doges depuis la lagune)
huile sur panneau
29,5 x 46,3 cm
collection Graham Williford, en dépôt au
Dallas Museum of Art (inv. n° 38.1993.1)

Cecilia Beaux (1863 – 1942)
2 *Girl with Lyre (Portrait of Dorothea Gilder)*, 1905
(Jeune femme à la lyre [Portrait de Dorothea Gilder])
huile sur toile
81,3 x 63,5 cm
New York, Berry-Hill Galleries

James Carroll Beckwith (1852 – 1917)
3 *Phoebe at Onteora*, 1908
(Phoebe à Onteora)
huile sur panneau
26 x 35 cm
New York, Berry-Hill Galleries

Robert Blum (1857 – 1903)
4 *Cherry Blossoms, Spring*, 1892
(Fleurs de cerisier, printemps)
huile sur toile
73 x 34 cm
New York, Berry-Hill Galleries

John Leslie Breck (1860 – 1899)
5 *Garden at Giverny (In Monet's Garden)*, vers 1887
(Jardin à Giverny [Dans le jardin de Monet])
huile sur toile
46 x 55,6 cm
Chicago, Terra Foundation for the Arts,
Daniel J. Terra Collection (inv. n° 1988.2)

6 *Yellow Fleurs-de-Lis*, 1888
(Fleurs de lys jaunes)
huile sur toile
45,4 x 55,6 cm
Chicago, Terra Foundation for the Arts,
Daniel J. Terra Collection (inv. n° 1989.2)

Dennis Miller Bunker (1861 – 1890)
7 *Lacroix-Saint-Ouen, Oise*, 1883
huile sur toile

95,6 x 127,3 cm
Chicago, Terra Foundation for the Arts,
Daniel J. Terra Collection (inv. n° 1987.11)

8 *Brittany Crosses*, 1884
(Croix bretonnes)
huile sur panneau, 32,7 x 24,1 cm
collection privée, courtesy Berry-Hill Galleries,
New York

Mary Cassatt (1844 – 1926)
9 *Portrait de Lydia Cassatt* ou *L'automne*, 1880
huile sur toile
92,5 x 65,4 cm
Paris, Petit Palais, Musée des Beaux-Arts
de la Ville de Paris

10 *Sara and Her Mother admiring the Baby*
vers 1901
(Sara et sa mère admirant le bébé)
pastel sur papier
64 x 80 cm
collection privée

11 *Mère Jeanne et sa fille aînée*, 1908
huile sur toile
70 x 59,7 cm
collection privée

12 *Le bain*, 1910
huile sur toile
99 x 129 cm
Paris, Petit Palais, Musée des Beaux-Arts
de la Ville de Paris

13 *Jeune femme et son enfant*, vers 1914
pastel sur papier
66 x 57 cm
collection privée

Francis Brooks Chadwick (1850 – 1943)
14 *Rivière au printemps*, sans date
huile sur toile
65 x 93 cm
Paris, Musée d'Orsay

William Merritt Chase (1849 – 1916)
15 *Sketch of my Hound «Kuttie»*, vers 1885
(Esquisse d'après mon chien Kuttie)

huile sur toile
33 x 40,6 cm
collection Graham Williford, en dépôt au
Dallas Museum of Art (inv. n° 145.1994.6)

16 *Pulling for Shore*, vers 1886
(Vers le rivage)
huile sur panneau
43,2 x 74,3 cm
New York, Berry-Hill Galleries

17 *Girl in Japanese Costume*, vers 1888
(Jeune femme en costume japonais)
huile sur toile
62,9 x 40 cm
Brooklyn Museum of Art, Gift of Isabella S. Kurtz
in memory of Charles M. Kurtz
(inv. n° 86.197.2)

18 *Shinnecock Hills*, 1893-1897
huile sur panneau
44,4 x 54,6 cm
Madrid, Museo Thyssen-Bornemisza

Charles Caryl Coleman (1840 – 1928)
19 *Villa Castello, Capri*, 1895
huile sur panneau
31,1 x 54,6 cm
collection Graham Williford, en dépôt au
Dallas Museum of Art (inv. n° 38.1993.3)

Leon Dabo (1868 – 1960)
20 *Moore Park*, 1909
huile sur toile
76 x 86,5 cm
Paris, Musée d'Orsay, don de Stéphane Bourgeois,
1912

Frederick Frieseke (1874 – 1939)
21 *Resting*, 1917
(Repos)
huile sur carton
57,5 x 75 cm
New York, Berry-Hill Galleries

Walter Gay (1856 – 1937)
22 *Le Bénédicité*, 1888
huile sur toile

184 x 112,6 cm
Amiens, Musée de Picardie

Lowell Birge Harrison (1854 – 1929)
23 *Novembre*, 1881
huile sur toile
130 x 248 cm
Paris, Fonds national d'art contemporain,
Ministère de la culture et de la communication
(inv. n° 280), en dépôt au Musée des Beaux-Arts
de Rennes

Childe Hassam (1859 – 1935)
24 *Bretonnes réparant les filets (Le Pouldu)*, 1897
huile sur toile
46 x 61,5 cm
collection privée

25 *The Jewel Box, Old Lyme*, 1906
(La boîte à bijoux, Old Lyme)
huile sur toile
50,8 x 61 cm
New York, National Academy of Design,
(inv. n° 548-P)

26 *L'Avenue des Alliés, 5ᵉ Avenue, New-York,* 1918
huile sur toile
92 x 61 cm
Paris, Musée national d'art moderne/Centre de
création industrielle, Centre Georges Pompidou,
en dépôt au Musée National de la Coopération
Franco-Américaine, Blérancourt

Robert Henri (1865 – 1929)
27 *La neige*, 1899
huile sur toile
65,5 x 81,5 cm
Paris, Musée d'Orsay, en dépôt au Musée National
de la Coopération Franco-Américaine,
Blérancourt

Ernest Lawson (1873 – 1939)
28 *The Road*, 1913
(La route)
huile sur toile
51,4 x 61 cm
New York, Berry-Hill Galleries

Mary Fairchild MacMonnies (1846 – 1925)
29 *Roses et lys*, 1887
huile sur toile
133,4 x 176,2 cm
Rouen, Musée des Beaux-Arts

Willard Leroy Metcalf (1858 – 1925)
30 *On the Suffolk Coast*, 1885
(Sur la côte du Suffolk)
huile sur toile
27 x 38 cm
New York, Berry-Hill Galleries

31 *The Lily Pond*, 1887
(Le bassin aux nymphéas)
huile sur toile
30,8 x 38,3 cm
Chicago, Terra Foundation for the Arts,
Daniel J. Terra Collection (inv. n° 1993.5)

Richard Emil Miller (1875 – 1943)
32 *La crinoline*, 1904
huile sur toile
116,2 x 81,2 cm
New York, Berry-Hill Galleries

Robert Reid (1862 – 1929)
33 *Daffodils*, sans date
(Jonquilles)
huile sur toile
106,7 x 111,8 cm
New York, National Academy of Design
(inv. n° 1054-P)

Louis Ritter (1854 – 1892)
34 *Willows and Stream*, Giverny, 1887
(Saules et ruisseau, Giverny)
huile sur toile
65,7 x 54,3 cm
Chicago, Terra Foundation for the Arts,
Daniel J. Terra Collection (inv. n° 1992.129)

Theodore Robinson (1852 – 1896)
35 *On the Cliff : A Girl Sewing,*1887
(Sur la falaise : une jeune femme cousant)
huile sur panneau

23 x 30,6 cm
Lugano, Fondazione Thyssen-Bornemisza

36 *Giverny*, vers 1889
huile sur toile
40,6 x 55,9 cm
Washington, D.C., The Phillips Collection

37 *Capri*, 1890
huile sur toile
44,5 x 53,3 cm
Madrid, Collection Carmen Thyssen-Bornemisza,
en prêt au Museo Thyssen-Bornemisza, Madrid

38 *In the Garden*, vers 1891
(Dans le jardin)
huile sur toile
46 x 56 cm
Lugano, Fondazione Thyssen-Bornemisza

39 *The Layette*, 1892
(La layette)
huile sur toile
147,6 x 92 cm
Washington, D.C., The Corcoran Gallery of Art,
Museum Purchase and Gift of William A. Clark

40 *Moonlight, Giverny*, 1892
(Clair de lune, Giverny)
huile sur toile
38,1 x 55,2 cm
collection Graham Williford, en dépôt au
Dallas Museum of Art (inv. n° 145.1994.33)

John Singer Sargent (1846 – 1925)
41 *Portrait d'Edouard Pailleron*, 1879
huile sur toile
127 x 94 cm
Paris, Musée d'Orsay (Dépôt du Musée national
du Château de Versailles), don de Madame
Pailleron, veuve d'Edouard Pailleron, 1900

42 *Portrait d'Auguste Rodin*, 1884
huile sur toile
72,4 x 52,4 cm
Paris, Musée Rodin (inv. n° P.7341)

43 *In the Orchard*, vers 1886
(Dans le verger)
huile sur toile

61 x 73,7 cm
collection privée

44 *Portrait de Jacques-Emile Blanche*, vers 1886
huile sur toile
81,9 x 48,9 cm
Rouen, Musée des Beaux-Arts, donation Jacques-
Emile Blanche, 1922

45 *A Lady and a Child Asleep in a Punt under a
Willow*, 1887
*(Une femme et un enfant endormis dans une barque
sous un saule)*
huile sur toile
55,9 x 68,6 cm
Lisbonne, Calouste Gulbenkian Museum

46 *Portrait de Gabriel Fauré*, vers 1889
huile sur toile
52,4 x 47,6 cm
Paris, Musée de la Musique/Cité de la Musique

47 *Pomegranates, Majorca*, 1908
(Grenades, Majorque)
huile sur toile
57 x 72 cm
New York, Berry-Hill Galleries

Edwin Scott (1863 – 1920)
48 *Boulevard*, sans date
huile sur toile
98,5 x 78,5 cm
Paris, Musée d'Orsay, don de la veuve de l'artiste,
1933

Edward Simmons (1852 – 1931)
49 *Winter Twilight on the Charles River*, sans date
(Crépuscule d'hiver sur la Charles River)
huile sur toile
35,6 x 56,5 cm
collection Graham Williford, en dépôt au
Dallas Museum of Art (inv. n° 145.1994.38)

Henry Ossawa Tanner (1859 – 1937)
50 *The Seine*, vers 1902
(La Seine)
huile sur toile
22,8 x 33 cm

Washington, D.C., National Gallery of Art, Gift
of the Avalon Foundation (inv. n° 1971.57.1)

Alfred Wordsworth Thompson (1840 – 1896)
51 *The Garden at Monte Carlo*, vers 1876
(Le jardin à Monte-Carlo)
huile sur toile
48,3 x 82 cm
Lugano, Fondazione Thyssen-Bornemisza

John Henry Twachtman (1853 – 1902)
52 *Snow Scene*, sans date
(Scène de neige)
huile sur toile
41,8 x 51 cm
Madrid, Collection Carmen Thyssen-Bornemisza

53 *Summer*, fin des années 1890
(Eté)
huile sur toile
76,2 x 134,6 cm
Washington, D.C., The Phillips Collection

Eugene Laurence Vail (1857 – 1934)
54 *Barques de pêche à Concarneau*, vers 1884
huile sur toile
132 x 190 cm
Musée de Brest

Robert Vonnoh (1858 – 1933)
55 *A Sunlit Hillside*, 1890
(Un coteau ensoleillé)
huile sur toile
63,5 x 52,7 cm
New York, National Academy of Design
(inv. n° 1356-P)

56 *Study for «The Ring»*, 1891
(Etude pour «L'anneau»)
huile sur toile
53 x 64 cm
New York, Berry-Hill Galleries

Julian Alden Weir (1852 – 1919)
57 *The Building of the Dam*, 1908
(La construction du barrage)
huile sur toile

76 x 101,6 cm
The Cleveland Museum of Art, Purchase from
the J. H. Wade Fund (inv. n° 1927.171)

58 *Nassau from the Garden*, 1913
(Nassau depuis le jardin)
huile sur toile
62,5 x 75 cm
New York, Berry-Hill Galleries

Irving Ramsey Wiles (1861 – 1941)
59 *Woman Reading on a Bench* ou *Sunshine and
Shadow*, vers 1895
(Femme lisant sur un banc ou *Soleil et ombre)*
huile sur panneau
40,5 x 35,5 cm
Lugano, Fondazione Thyssen-Bornemisza

BIBLIOGRAPHIE SÉLECTIVE

Adams, Henry, «Winslow Homer's 'Impressionism' and Its Relationship to His Trip to France», *Studies in the History of Art*, XXVI, 1990, pp. 61-89

Adelson, Warren, et al., *Sargent Abroad. Figures and Landscapes*, New York, 1997

Adelson, Warren, Stanley Olson et Richard Ormond, *Sargent at Broadway: The Impressionist Years*, New York et Londres, 1986

Adelson, Warren, Jay Cantor, et William H. Gerdts, *Childe Hassam, Impressionist*, New York, 1999

Andrew, William W., *Otto H. Bacher*, Madison, Wisconsin, 1973 (1935¹)

Atkinson, D. Scott et Nickolai Cikovsky, Jr., *William Merritt Chase: Summers at Shinnecock, 1891-1902*, cat. expo., National Gallery of Art, Washington, D.C., 1987

Bacher, Otto H., *With Whistler in Venice*, New York, 1908

Baignères, Arthur, «Première exposition de la Société internationale de peintres et sculpteurs», *Gazette des Beaux-Arts*, XXVII, février 1883, pp. 187-192

Ball, Robert et Max W. Gottschalk, *Richard E. Miller, N.A.: An Impression and Appreciation*, Saint Louis, 1968

Baur, John I. H., *Theodore Robinson*, cat. expo., Brooklyn Museum of Art, New York, 1946

Beaux, Cecilia. *Background With Figures: Autobiography of Cecilia Beaux*, New York et Boston, 1930

Bienenstock, Jennifer A. Martin, «Childe Hassam's Early Boston Cityscapes», *Arts Magazine*, LV, novembre 1980, pp. 168-171

Blashfield, Edwin H., «John Singer Sargent. Recollections», *North American Review*, n° 827, juin-août 1925, pp. 641-653

Blaugrund, Annette, *Paris 1889: American Artists at the Universal Exposition*, cat. expo., Pensylvannia Academy of Fine Arts, Philadelphie, 1990

Bolger, Doreen, *J. Alden Weir. An American Impressionist*, Newark, 1983

Boyle, Richard J., *Robert F. Blum 1857-1903: A Retrospective Exhibition*, cat. expo., Art Museum of Cincinnati, Cincinnati, 1966

—, *American Impressionism*, Boston, 1974

—, *John Henry Twachtman*, New York, 1979

Breeskin, Adelyn D., *Mary Cassatt. A Catalogue Raisonné of the Oils, Pastels, Watercolors, and Drawings*, Washington, D.C., 1970

—, *Mary Cassatt. A Catalogue Raisonné of the Graphic Work*, deuxième édition revue et augmentée, Washington, D.C., 1979

Brettell, Richard R., *Impression: Painting Quickly in France, 1860-1890*, cat. expo., National Gallery, Londres, 2000

Brown, Milton W., *American Art: Painting, Sculpture, Architecture, Decorative Arts, Photography*, édition révisée, New York, 1979

Broude, Norma (éd.), *World Impressionism: The International Movement, 1860-1920*, New York, 1990

Buckley, Charles E., *Childe Hassam: A Retrospective Exhibition*, cat. expo., The Corcoran Gallery of Art, Washington, D.C., 1965

Burke, D. B., *J. Alden Weir: An American Impressionist*, Newark, Delaware, 1983

Burns, Sarah, *Pastoral Inventions: Rural Life in Nineteenth-Century American Art and Culture*, Philadelphie, 1989

Cacan de Bissy, Adeline, S. Dillon Ripley, Peggy A. Loar, et al., *Impressionnistes Américains*, cat. expo., Musée du Petit Palais, Paris, 1982

Callen, Anthea, *Techniques of Impressionism*, Londres, 1982

—, *The Art of Impressionism. Painting Technique and the Making of Modernity*, New Haven et Londres, 2000

Cann, Louise Gebhard, *Exposition Eugène Vail*, cat. expo., Galerie Jean Charpentier, Paris, 1937

Charteris, Evan, *John Sargent*, Londres et New York, 1927

Chotner, Deborah, et al., *John Twachtman, Connecticut Landscapes*, cat. expo., National Gallery of Art, Washington, D.C., 1989

Cikovsky, Nicolai et Franklin Kelly, *Winslow Homer*, cat. expo., National Gallery of Art, Washington, D.C., 1995-1996

Cikovsky, Nicolai, et al., *American Impressionism and Realism. The Margaret and Raymond Horowitz Collection*, cat. expo., National Gallery of Art, Washington, D.C., 1999

Clark, Elliot Candee, *Theodore Robinson: His Life and Art*, Chicago, 1979

Cohen-Solal, Annie, *«Un jour, ils auront des peintres»: L'avènement des peintres américains, Paris 1867-New York 1948*, Paris, 2000

Corbin, Kathryn, «John Leslie Breck, American Impressionist», *Antiques*, CXXXIV, novembre 1988, pp. 1142-1149

Cummings, Hildegard, et al., *J. Alden Weir: A Place of His Own*, cat. expo., The William Benton Museum of Art, Storrs, Connecticut, 1991

Curry, David Park, *Childe Hassam: An Island Garden Revisted*, cat. expo., Denver Art Museum, Denver, 1990

De Veer, Elizabeth et Richard J. Boyle, *Sunlight and Shadow: The Life and Art of Willard L. Metcalf*, Springfield, Massachusetts, 1987

Drinker, Henry S., *The Paintings of Cecilia Beaux*, Philadelphie, 1955

Esten, John, *Sargent: Painting Out-of-Doors*, New York, 2000

Fairbrother, Trevor, *John Singer Sargent: The Sensualist*, New Haven et Londres, 2000

Fehrer, Catherine. «New Light on the Académie Julian and Its Founder (Rodolphe Julian)», *Gazette des Beaux-Arts*, CXXVI, juin 1984, pp. 207-216

—, *The Julian Academy, Paris 1868-1913*, cat. expo., Shepherd Gallery, New York, 1989

Ferguson, Charles, *Dennis Miller Bunker (1861-1890) Rediscovered*, cat. expo., New Britain Museum of American Art, New Britain, Connecticut, 1978

Flint, J. A., *J. Alden Weir: American Impressionist, 1852-1919*, cat. expo., National Museum of American Art, Washington, D.C., 1972

Fort, Ilene Susan, *The Flag Paintings of Childe Hassam*, cat. expo., Lost Angeles County Museum, Los Angeles, 1989

Franchi, Pepi Marchetti et Bruce Weber. *Intimate Revelations: The Art of Carroll Beckwith*, cat. expo., Berry-Hill Galleries, New York, 1999-2000

Gaehtgens, Thomas W. (éd.), *Bilder aus der Neuen Welt: Amerikanische Malerei des 18. und 19. Jahrhunderts. Meisterwerke aus der Sammlung Thyssen-Bornemisza und Museen der Vereinigten Staaten*, cat. expo., Orangerie des Schlosses Charlottenburg, Berlin et Kunsthaus Zürich, 1988-1989

Gaehtgens, Thomas W. et Heinz Ickstadt (éd.), *American Icons: Transatlantic Perspectives on Eighteenth- and Nineteenth-Century American Art*, Santa Monica, 1992

Gallati, Barbara Dayer, *William Merritt Chase*, New York, 1995

—, *William Merritt Chase. Modern American Landscapes 1886-1890*, cat. expo., Brooklyn Museum of Art, New York, 2000

Gerdts, William H., *American Impressionism*, New York, 1984

—, *American Impressionism: Masterworks from Public and Private Collections in the United States*, cat. expo., Fondation Thyssen-Bornemisza, Lugano-Castagnola, 1990

—, *Lasting Impressions: American Painters in France 1865-1915*, cat. expo., Musée d'art américain, Giverny, 1992

—, *Giverny: Une colonie impressionniste*, New York, Paris et Londres, 1993

Glackens, I., *William Glackens and the Ashcan Group: The Emergence of Realism in American Art*, New York, 1957

Glackens, T., *William Glackens and The Eight: The Artist Who Freed American Art*, New York, 1992

Goodyear, Frank H., *Cecilia Beaux: Portrait of An Artist*, cat. expo., Pennsylvannia Academy of Fine Arts, Philadelphie, 1974-1975

Gordon, E. Adina, *Frederick William MacMonnies (1863-1937), Mary Fairchild MacMonnies (1858-1946), deux artistes américains à Giverny*, cat. expo., Musée municipal A.-G. Poulain, Vernon, 1988

Graham Gallery, *Leon Dabo Retrospective, 1868-1960*, New York, 1962

Grieve, Alastair, *Whistler's Venice*, New Haven et Londres, 2000

Groseclose, Barbara, *Nineteenth-Century American Art*, Oxford, 2000

Hale, John Douglass, *The Life and Creative Development of John H. Twachtman*, thèse non publiée, Ohio State University, 1957

Harvey, Eleanor Jones, *The Painted Sketch. American Impressionism From Nature 1830-1880*, cat. expo., Dallas Museum of Art, Dallas, 1998

Hendricks, Gordon, *The Life and Work of Winslow Homer*, New York, 1979

Hiesinger, Ulrich H., *Childe Hassam: American Impressionist*, Munich et New York, 1994

Hill, May Brawley, *Grez Days: Robert Vonnoh in France*, cat. expo., Berry-Hill Galleries, New York, 1987

Hills, Patricia, et al., *John Singer Sargent*, cat. expo., Whitney Museum of Art, New York, 1986

Hirshler, Erica E., *Dennis Miller Bunker: American Impressionist*, cat. expo., Museum of Fine Arts, Boston, 1994

Homer, William Innes, *Robert Henri and His Circle*, édition révisée, Ithaca, 1988

House, John, *Impressionism For England: Samuel Courtauld As Patron and Collector*, cat. expo., Courtauld Institute Galleries, Londres, 1994

Howet, John K., *The Hudson River and Its Painters*, New York, 1972

Ives, A. E., «Mr. Childe Hassam on Painting Street Scenes», *The Art Amateur*, XXVII, octobre 1892, pp. 116-117

Johnston, Sona, *Theodore Robinson, 1852-1896*, cat. expo., The Baltimore Museum of Art, Baltimore, Maryland, 1973

Kane, Mary Louise, *A Bright Oasis. The Paintings of Richard E. Miller*, New York, 1997

Karpiscak, Adeline Lee, *Ernest Lawson, 1873-1939: A Retrospective Exhibition of His Paintings*, cat. expo., University of Arizona Museum of Art, Tuscon, 1979

N. Kilmer, et al., *Frederick Carl Frieseke: The Evolution of an American Impressionist*, cat. expo., San Diego Museum of Art, San Diego, 2001

Kilmurray, Elaine et Richard Ormond (éd.), *John Singer Sargent*, cat. expo., National Gallery of Art, Washington, D.C., 1998

Landauer, Susan, et al., *California Impressionists*, cat. expo., Georgia Museum of Art, Athens, Géorgie, 1996

Larkin, Susan G., *The Cos Cob Art Colony: Impressionists on the Connecticut Shore*, cat. expo., The National Academy of Design, New York, 2001

Lindsay, Suzanne G., *Mary Cassatt and Philadelphia*, cat. expo., Philadelphia Museum of Art, Philadelphie, 1985

Low, Will, *A Chronicle of Friendships*, New York, 1908

MacAdam, Barbara, *Winter's Promise: Willard Metcalf in Cornish, New Hampshire 1909-1920*, J. Hood Museum of Art, Dartmouth, 1999

Martindale, Meredith, *Lilla Cabot Perry: An American Impressionist*, cat. expo., National Museum of Women in the Arts, Washington, D.C., 1990

Mathews, Marcia M., *Henry Ossawa Tanner, American Artist*, Chicago, 1969

Mathews, Nancy Mowll, *Mary Cassatt*, New York, 1987

Mayer, Stephanie, *Theodore Robinson: Esquisses et photographies*, cat. expo., Musée d'art américain, Giverny, 2000

Moffett, Charles, et al., *The New Painting: Impressionism 1874-1886*, cat. expo., The Fine Arts Museum of San Francisco, San Francisco, 1986

Mosby, Dewey F., *Henry Ossawa Tanner*, cat. expo., Phildelphia Museum of Art, Philadelphie, 1991

—, *Across Continents and Cultures: The Art and Life of Henry Ossawa Tanner*, cat. expo., Nelson-Atkin Museum, Kansas City, 1995

Mount, Charles Merrill, *John Singer Sargent*, Londres, 1959

Murphy, Francis, *Willard Leroy Metcalf: A Retrospective*, cat. expo., Munson-Williams-Proctor Institute, Utica, 1976

Narodny, Ivan, *American Artists*, New York, 1930

Nectoux, Jean-Michel (éd.), *Gabriel Fauré. Correspondance*, Paris, 1980

Neff, Emily Ballew et G. T. Shackelford. *American Painters in the Age of Impressionism*, cat. expo., Houston Museum of Fine Arts, Houston, Texas, 1996

Novak, Barbara et Annette Blaugrund (éd.), *Next to Nature: The Landscape Paintings From The*

National Academy of Design, cat. expo., The National Academy of Design, New York, 1980

Olson, Stanley. *John Singer Sargent. His Portrait*, Londres et New York, 1986

O'Neal, Barbara, *Ernest Lawson, 1873-1939*, cat. expo., National Gallery of Canada, Ottawa, 1967

Ormond, Richard, *John Singer Sargent: Paintings, Drawings, Watercolours*, Londres, 1970

— et Elaine Kilmurray, *John Singer Sargent: The Early Portraits (Complete Paintings*, I), New Haven et Londres, 1998

Pailleron, Marie-Louise. *Le paradis perdu*, Paris, 1947

Perlman, Bernard B., *Robert Henri: His Life and Art*, New York, 1991

Perry, Lilla Cabot, «Reminiscences of Claude Monet From 1889 to 1909», *American Magazine of Art*, mars 1927, p. 383

Peters, Lisa, *John Twachtman (1853-1902) and The American Scene in the Late Nineteenth Century: The Frontier Within the Terrain of the Familiar*, thèse non publiée, City University of New York, New York, 1995

—, *John Henry Twachtman. An American Impressionist*, cat. expo., Cincinnati Museum of Art, Cincinnati, 1999

Pétry, Claude, *Jacques-Emile Blanche, peintre (1861-1942)*, cat. expo., Musée des Beaux-Arts, Rouen, 1998

Phillips, Duncan, «Ernest Lawson», *American Magazine of Art*, VIII, mai 1917, pp. 260-261

Pierce, Mary Jobe, *The Ten*, New Hampshire, 1976

Pinette, Matthieu, *Couleurs d'Italie, couleurs du Nord. Peintures étrangères des musées d'Amiens*, Paris, 2001

Pisano, Ronald G., *William Merritt Chase*, New York, 1979

—, *American Paintings From the Manoogian Collection*, cat. expo., National Gallery of Art, Washington, D.C., 1989

Quick, Michael, *American Expatriate Painters of the Late Nineteenth Century*, cat. expo., Dayton Art Institute, Dayton, Ohio, 1976

—, *An American Painter Abroad: Frank Duveneck's European Years*, cat. expo., Cincinnati Art Museum, Cincinnati, 1987

Reynolds, Gary A., *Walter Gay: A Retrospective*, Grey Art Gallery and Study Center, New York University, New York, 1980

—, *Irving R. Wiles*, cat. expo., The National Academy of Design, New York, 1988

Robinson, Joyce, *An Interlude in Giverny*, cat. expo., Palmer Museum of Art, Pennsylvania State University, University Park, 2000-2001

Sellin, David, *Americans in Brittany and Normandy, 1860-1910*, cat. expo., The Phoenix Art Museum, Phoenix, 1982

Simmons, Edward E., *From Seven to Seventy: Memoirs of A Painter and A Yankee*, New York, 1976 (1922[1])

Simpson, Marc, *Uncanny Spectacle. The Public Career of the Young John Singer Sargent*, New Haven et Londres, 1997

Stebbins, Theodore Jr., *The Lure of Italy. American Artists and the Italian Experience 1760-1914*, cat. expo., Museum of Fine Arts, Boston, 1992

—, et al., *A New World: Masterpieces of American Painting, 1760-1910 (Un nouveau monde: chefs-d'œuvre de la peinture américaine, 1760-1910)*, cat. expo., Museum of Fine Arts, Boston, The Corcoran Gallery of Art, Washington, D.C., Grand Palais, Paris, 1983-1984

— et Charles B. Ferguson, *Dennis Miller Bunker (1861-1890) Rediscovered*, cat. expo., New Britain Museum of Art, New Britain, Connecticut, 1978

Stokes, Adrian, «John Singer Sargent», *Old Watercolour Society's Club*, III, 1925-26, pp. 53-55

Sweet, Frederick A., *Miss Mary Cassatt, Impressionism From Pennsylvania*, Norman, Oklahoma, 1966

Tappert, Tara L., *Choices. The Life and Career of Cecilia Beaux: A Professional Biography*, thèse non publiée, The George Washington University, 1990

—, *Cecilia Beaux and the Art of Portraiture*, cat. expo., National Portrait Gallery, Washington, D.C., 1995

Weber, Bruce, *Robert Blum (1857-1903) and His Milieu*, thèse non publiée, Graduate School of the University of New York, 1985

Weinberg, H. Barbara, «Robert Reid: Academic 'Impressionist'», *Archives of American Art Journal*, XV, 1975, pp. 2-12

—, *The American Pupils of Jean-Léon Gérôme*, cat. expo., Amon Carter Museum, Forth Worth, 1984

—, *The Lure of Paris. Nineteenth-Century American Painters and Their French Teachers*, New York, 1991

—, Doreen Bolger et David Park Curry, *American Impressionism and Realism, 1885-1915*, cat. expo., Metropolitan Museum of Art, New York, 1994

Weisberg, Gabriel P., *Beyond Impressionism. The Naturalist Impulse*, New York, 1992

— et Jane Becker (éd.), *Overcoming All Obstacles. The Women of the Académie Julian*, cat. expo., The Dahesh Museum, New York, 1999

Wiesinger, Véronique, *Le voyage de Paris, les Américains dans les écoles d'art, 1868-1918*, cat. expo., Musée National de la Coopération Franco-Américaine, Blérancourt, 1990

Young, Dorothy Weir, *The Life and Letters of J. Alden Weir*, New Haven, 1960

Zeizel, Joan Hanson, *Hugh Bolton Jones, American Landscape Painter*, thèse non publiée, The George Washington University, 1972

Le présent catalogue est publié à l'occasion de l'exposition *L'impressionnisme américain 1880-1915,* conçue par la Fondation de l'Hermitage à Lausanne, et présentée du 7 juin au 20 octobre 2002.

Commissariat général	Juliane Cosandier, assistée de Sylvie Wuhrmann
Commissariat	William Hauptman
Presse et communication	Liliane Beuggert
Administration	Sandra Lambert
Coordination technique et secrétariat	Christine Baumgartner
Comptabilité	Joëlle Menétrey
Réception	Odile Mivelaz
Montage de l'exposition	Charly Perroud, assisté d'Etienne Hugonnet et de Claude Robert
Conférencières	Céline Eidenbenz, Corinne Perreten, Carine Porta, Marie-Laure Ravanne, Patricia Zazzali
Animation pour les enfants	Isabelle Ihmle-Wuhrmann, Corinne Rod
Librairie	Anne-Marie Daguenet, Anne-Catherine Party, Carine Porta, Corinne Rod
Accueil	Edith Bertossa, Thérèse Marbacher, Myrtha Ruegg

Catalogue

Rédaction	Sylvie Wuhrmann
Traduction de l'anglais	Françoise Senger, Genève
Conception graphique et mise en page	Laurent Cocchi, Lausanne
Suivi de production	Olivier Attinger, Chaumont
Photolitho	Villars Graphic, Neuchâtel
Impression	Impression couleurs Weber, Bienne
Brochage	Mayer & Soutter, Renens

Achevé d'imprimer
en mai 2002